El rufián dichoso

pánicas

Miguel de Cervantes

El rufián dichoso

Edición
de
Edward Nagy

EDICIONES CÁTEDRA, S. A. Madrid

© Ediciones Cátedra, S. A., 1975
Cid, 4. Madrid-1
Depósito legal: M. 9.730.—1975
ISBN: 84-376-0037-5
Printed in Spain
Impreso en Artes Gráficas Benzal
Virtudes, 7. Madrid-3
Papel: Torras Hostench

Índice

Índice

«J'ai voulu montrer que mon héros, Goetz, qui est un genre de franc-tireur et d'anarchiste du mal, ne détruit rien quand il croit beaucoup détruire.»

GOETZ: «sur cette terre et dans ce temps, le Bien et le Mauvais sont inséparables: j'accepte d'être mauvais pour devenir bon.»

«La pièce traite entièrement des rapports de l'homme à Dieu, ou, si l'on veut, des rapports de l'homme à l'absolu...»

Jean-Paul Sartre, *Le Diable et le Bon Dieu*

Introducción

La vida del protagonista y la teoría dramática

De toda la producción teatral cervantina *El rufián dichoso*, su única comedia religiosa, es la que nos hace recordar la inolvidable lectura de *Rinconete y Cortadillo*[1]. Las inmortales páginas de esta novela vuelven a cobrar vida en el primer acto de la comedia. La Sevilla de Rinconete es la del protagonista de la comedia. El mismo ambiente vuelve a poblarse de tipos y aventuras, de rufianes, pícaros y rameras. «La semilla holgazana», como dice un personaje en la comedia, es captada con la mirada aguda y penetrante del poeta-novelista para transmitirnos, artísticamente enriquecido, lo más realista y naturalista de sus vidas y lo más sabroso de su lenguaje.

El largo y bullente primer acto cubre, en función de la unidad del drama, la vida del rufián Lugo, hijo de un tabernero y criado del inquisidor don Tello de Sandoval. Respaldado por la autoridad de su amo, Lugo es más rufián que estudiante. El embrujo de aquel ambiente sevillano es tal, que la obra no se aparta de él ni en los dos restantes actos. Éstos se desarrollan en Méjico, donde Lugo, ya hecha su conversión en Sevilla, será fray Cristóbal de la Cruz, y su mandil Lagartija, que ambicionaba enriquecerse en Sevilla cortando bolsas y engañando en el juego

---

[1] Para la comparación de estas dos obras con el entremés *El rufián viudo*, véase *Juicios*, núm. 6.

a las cartas, se transforma en su cómico hermano de religión, fray Antonio[2].

Sevilla, que parece más tentadora como tal que como una ciudad cualquiera en la cosmografía de las maquinaciones diabólicas, estará presente en el resto de la obra, que claramente cae dentro de la ideología de una comedia de santos, y que, por tratarse de Cervantes, nos llenará de extraña curiosidad. Familiarizados con el tema heroico-nacional de *La Numancia*, con los recuerdos personales en las comedias del cautiverio o con la tradición picaresca a lo cervantino en *Pedro de Urdemalas*, comedia medio hermana de la que nos ocupa, no es difícil comprender la curiosidad del lector. Cervantes es poco dado a los milagros en el teatro y al misticismo[3]. Recordemos la discusión entre el Cura y el Canónigo —*El Quijote*, 1605— sobre la comedia nueva y la crítica de las comedias de santos —comedias divinas—: «¡Qué de milagros falsos fingen en ellas, qué de cosas apócrifas...!» (parte I, capítulo 48).

[2] «... el primer acto, que es el de carácter cómico, aunque en el segundo y tercero no deje de haber escenas graciosas, siempre que aparece Lagartija, convertido en ellos en fray Antonio...» Amelia del Río: «El teatro cómico de Cervantes», *Boletín de la Real Academia Española*, XLIV (1964), 271.

Nótese: «... el manejo cervantino de lo cómico nada tiene en común con el de Lope. Cervantes utiliza siempre figuras de entremés, e incluso entremeses o figuras cómicas. El *gracioso* es una invención que le fue ajena y cuyo sentido no captó, quizá porque para su mundo era innecesario...» J. Casalduero: *Sentido y forma del teatro de Cervantes* (Madrid, 1951), pág. 19.

[3] «Cervantes, este autor que parece que es el menos dado al misticismo...», Ángel Valbuena Prat: *Historia del teatro español* (Barcelona, 1956), pág. 61.

Américo Castro usa las palabras «reserva», «cautela», «ironía» para la actitud de Cervantes frente a los milagros y las maravillas en *El rufián dichoso* y en *El Quijote*. Américo Castro: *El pensamiento de Cervantes*, nueva ed. ampliada... (Barcelona-Madrid, Ed. Noguer, 1972), pág. 258. Igualmente, pág. 74, nota 135. Dice, también, que el P. Mariana «contrarreformiza» (págs. 311-312, nota 53) cuando «expresa sus dudas en el típico estilo de la época de la Contrarreforma».

En *Pedro de Urdemalas*, con fina ironía, Cervantes hace que su engañador Pedro ejecute la burla de la picaresca salvación de las almas en purgatorio, y ahora, en *El rufián dichoso*, crea una de las mejores comedias religiosas del teatro español, con una más gradual ascensión (de Lugo), desde el hampa hasta la perfección espiritual, que en muchas otras comedias parecidas. Lugo se puede comparar con los protagonistas de las comedias de santos, como, por ejemplo, el Gil de *El esclavo del demonio*, de Mira de Amescua, o el Eusebio de *La devoción de la cruz*, de Calderón. Todos son personajes valientes, que con la misma pasión y heroísmo pasan del bandidaje a la santidad, cometiendo excesos en ambos estados y dando tempranas señales de transformación. A. A. Parker lo explica muy claramente cuando habla sobre la dualidad del santo y bandido y la psicología humana en que se basa: «Estos bandidos pueden llegar a ser santos porque son hombres valientes», «La persona tibia, la persona que no puede sentir ninguna pasión ni incitarse a ningún entusiasmo, es, más o menos, una persona moralmente indeterminada.»[4] Bien podemos aplicar estas ideas a Lugo, igual que a su criadillo Lagartija.

El antiguo rufián y espadachín sevillano dejará ya en el primer acto positivas semillas de su futura conversión. El bandolero Ricardo, en la comedia de santos *La devoción de la cruz*, de Calderón, dice que «Las devociones nunca faltan del todo a los ladrones» (acto II). Esto se puede aplicar al rufián Lugo, sin ser éste ladrón. Durante su vida de rufián ambicioso («Esto de valentón le vuelve loco») y soberbio, vemos su devoción a las ánimas: da limosna a un ciego para decir oraciones por las ánimas del purgatorio (v. 632). Músico: «Muchas veces te he visto dar limosna»

---

4 Alexander A. Parker: «Santos y bandoleros en el Teatro del Siglo de Oro», *Arbor*, XIII (1949), 400.

(vv. 642, 646-650); reza el rosario: «Entra Lugo...,
y trae el rosario en la mano» (sigue al verso 775).
Lagartija no le entiende: «O sé rufián, o sé santo.»
Enumerando Lugo las liviandades de mozo (vv. 798-
821), dice que reza los «salmos penitenciales» y el
rosario (vv. 826-829). Una dama tapada (v. 243),
enamorada de la fama, valentía y el despejo de Lugo,
se le declara, pero el rufián rechaza su «deseo impertinente», avisa a su marido que tenga cuidado, porque
un mancebo quiere raptarle a su mujer (después
vv. 1118-1121). Pide a Dios que le libre de mujer
determinada (vv. 493-494). Declara: «A nadie hiero
ni mato» (v. 786, vv. 787-789), y un alguacil dice al
amo de Lugo que éste no roba ni quita capas. Estas
semillas crecerán con el traslado de Lugo y de su
criado Lagartija de Sevilla a Méjico. Del cambio de
lugar se encargará el amo de Lugo, el austero don
Tello de Sandoval. El acto segundo trata de su arrepentimiento, y el tercero, de su santidad y muerte
milagrosa, representada alegóricamente [5].

El camino que conduce al apoteósico final, cuando
el cuerpo enfermo de fray Cristóbal se transforma en
«bruñida plata», nunca es fácil en esta clase de comedias. La meditación y la paz en soledad son interrum-
pidas por la invasión del mundo, del «siglo». Tentaciones del demonio adoptan varias formas, sirviéndose,
también, de lo más vivo y palpable del pasado, que
corría el riesgo de ser olvidado y sofocado en la
tranquilidad solemne de los dos actos «mejicanos»,
cuya atmósfera contrasta tanto con el ruidoso acto
«sevillano». Hay máscaras grotescas, demonios vestidos de ninfas lascivas, suenan «guitarra y sonajas,
y vocería de regocijo». Otra vez se aproxima la Sevilla
del primer acto, donjuanesca y rufianesca, uniéndose
el pasado con el presente, separados por el transcurso

---

[5] Para los distintos criterios sobre la relación entre estos dos
actos con el primero, véase *Juicios*, 3-5.

del tiempo y la inmensidad del mar. Y Lagartija, ahora fray Antonio, fiel al papel desempeñado por las figuras cómicas en estas comedias —recordemos a Pedrisco en *El condenado por desconfiado*—, hará otra vez vivos nombres de rufos y mozas del partido, de comidas y juegos. Al despedirse Tello de Sandoval, que salía para España, el gracioso fraile le encarga saludos para una manceba sevillana. Pero esta figura cómica, ignorante, de religiosidad simple, que se llena de asombro y temor ante las apariciones de máscaras, se sublimará rezando al lado de su señor muerto.

Todas las tentaciones se quiebran ante la dramática resistencia de fray Cristóbal, culminando en la escena de la redención de la dama pecadora Ana de Treviño, cuya conversión dará fin a la segunda jornada, como el soliloquio de la conversión de Lugo lo dio a la primera. Esta mujer, que, consumida por la fiebre, tiene que morir pronto, duda del perdón de sus pecados y no quiere confesarse. Cristóbal logra convencerla de que se arrepienta a cambio de trocar él —héroe de la caridad— sus penitencias por los pecados de ella. La dama obedece y se salva. Desde este momento el rostro del fraile se cubre de llagas. Las tentaciones, que se intensifican como parte de la penitencia, fracasan ante la resistencia del héroe, y la obra termina con su muerte serena y entierro.

Al terminar la obra queda ante nosotros el mismo enigma que nos causó la sorpresa inicial: el de los motivos que mueven la pluma de Cervantes a lo largo de los tres actos. Este «disparo» contrarreformista es su única comedia de santos. No es nuestro objetivo el hacer conjeturas a tono con el criterio de esta época de lo absurdo. Pero ¿no es Cervantes un autor en cuyas páginas se mueven *rufianes*? ¿Por qué entonces no hacerlos *dichosos* (santos)? Recuérdese que estamos en la época (el *Zeitgeist*) de la Contrarreforma, del Milagro y los Misterios. Tratándose de que existe la historia escrita de la vida y muerte del *rufián dichoso*, Cervantes, fascinado probablemente por ese «raro acontecimiento», no sólo no pudo perder, sino que le convino, insistir repetidamente en la autenticidad de los milagros representados. Dice en las acotaciones: «Todo esto es verdad de la historia» (II), «Todo esto fue así, que no es visión supuesta, apócrifa ni mentìrosa» *(Ibíd.)*. Si así no fuera, sería un caso muy extraño de heroísmo exorbitante como tema para una grandiosa concepción dramática[6], como lo fue la historia de Numancia en el tema del sacrificio colectivo. La obra queda como testimonio del sentido religioso de una época sometido al cedazo de la creación artística cervantina.

El rufián dichoso se nos ofrece en la totalidad armónica de sus.tres actos como una obra de arte perdurable, según afirma J. Casalduero. Si lo milagroso, que incluye y abraza la podredumbre, «el muladar» del cuerpo del antiguo hijo del tabernero, hecho luego prior y santo, choca con nuestra sensibilidad (como chocó la escena del gafo en *Las mocedades del Cid*, de Castro, con el gusto del público de Corneille), y terminamos, erróneamente, su lectura después del primer acto (¿cómo podríamos prescindir de la Sevilla mundana, la de rufianes y pasiones, que sigue

---

6 Doña Amelia del Río menciona a Sartre y su *Le Diable et le Bon Dieu*. La obra (cervantina) parece haber inspirado a Sartre su *Le Diable et le Bon Dieu*. Según R. Marrast *(Cervantes, dramaturge*, París, 1957, 78-80: «Sartre, dit-on, imagina *Le Diable et le Bon Dieu* à la suite d'une conversation avec Jean-Louis Barrault qui lui raconta le thème du *Rufián bienheureux*. Le point de départ des deux oeuvres est en tous cas très semblable: «La pièce —dit Sartre— traite entièrement des rapports de l'homme à Dieu, ou, si l'on veut, des rapports de l'homme à l'absolu». Ce qui l'avait enthousiasmé, c'était le geste d'un homme jouant aux dés son destin, décidant de se vouer au bien par une décision qui le concerne seul. Cristoval, comme Goetz, est déchiré entre deux mondes opposés qui le rejettent alternativement.» (Amelia del Río, pág. 272, nota 33.)

viviendo *presente?)*[7], todavía habremos de derivar provecho. Ganamos con la lectura del primer acto, que «es de lo mejor de Cervantes realista», como dice A. Valbuena, y que servirá de excelente repaso para el *Rinconete*. Y, por fuerza, tendremos que abrir otra vez el segundo acto, parándonos ante el episódico pero importante

DIÁLOGO ENTRE LA CURIOSIDAD Y LA COMEDIA

Este diálogo inicial del segundo acto, con sus dos figuras alegóricas, y el ambiente del hampa sevillana en el primer acto, han hecho famosos ambos actos, que no se pueden amputar del conjunto de la obra, pues a causa de ellos, ha sido conocida la comedia *El rufián dichoso*. Como el segundo y el tercer acto se desarrollan en Méjico (La Nueva España), Cervantes, que cambia de lugar, adaptándolo a la acción dramática y sustituyendo la relación por la representación, se dobla ante las exigencias de la Curiosidad. Sometida a interrogación, la Comedia se defiende con la famosa explicación:

> Los tiempos mudan las cosas
> y perfeccionan las artes,
> . . . .
> Buena fui pasados tiempos,
> y en éstos, si lo mirares,
> no soy mala, aunque desdigo
> de aquellos preceptos graves
> que me dieron y dejaron
> en sus obras admirables
> Séneca, Terencio y Plauto,
> . . . .

---

[7] Vv. 1.336-52, 1.358-70, 1.384-85, 1.420-42, 1.529-35, 1.554-57, 1.581-87, 1.612-23, 1.744-59, 1.800-11, 2.364-2.423, 2.536-66, 2.598-2.603.

He dejado parte de ellos,
y he también guardado parte,
porque lo quiera así el uso,
que no se sujeta al arte.

(II, vv. 1230-1244)

Cervantes, que en su largo y concienzudo empeño teatral, siempre estaba alerta a los cambios[8], y observaba con frustración el equívoco correr del mundo del teatro donde cobraba fama el espontáneo Lope de Vega, confirma por medio de la figura alegórica la necesidad de aceptar la mayor flexibilidad escénica proclamada ya en el *Arte nuevo de hacer comedias en este tiempo* (1609), de Lope. Es legítimo preguntarse si acaso Cervantes no se aparta de las opiniones expuestas de manera distinta en la conversación entre el Cura y el Canónigo en el *Quijote* (1605), aceptando, así, los cambios de su poderoso rival.

Es un callejón sin salida el asunto de la influencia de Lope de Vega sobre el arte dramático de Cervantes[9] que, como él mismo nos dice en el prólogo a las *Ocho comedias* (1615), tuvo que reconocer la invasión acaparadora de la monarquía cómica del monstruo de naturaleza. Los críticos no están de acuerdo en esto. Oscilan entre las afirmaciones de la supuesta incomprensión de Cervantes de la fórmula nueva y, no menos de la del público madrileño que aplaudía a Lope, y, entre el deseo de Cervantes de dar mayor profundi-

---

[8] Leemos en un reciente trabajo: «Cervantes fue en su época tan experimentador como Brecht, Ionesco o Arrabal en la nuestra.» Bruce W. Wardropper en el capítulo «Comedias» incluido en *Suma cervantina* (Londres, Tamesis Books Limited, 1973), pág. 158.

[9] «Situado dentro del Siglo de Oro, Cervantes enlaza dos periodos de esa gloriosa era: el prelopista del cual se conservan dos comedias del propio Cervantes, y el moderno, correspondiente a la Comedia Nueva y las fórmulas estéticas denominadas «modernas» en contraposición con los métodos e ideas del primer período.» Edward Nagy, prólogo a la edición *Pedro de Urdemalas* (Nueva York, Las Americas Publ. Co., 1965), pág. 9.

20

dad y perfección a los cambios ostentativos de Lope.
Sin enfrascarnos en la polémica podemos afirmar que
no es difícil ver que Cervantes en las *Ocho comedias*
—que incluyen a *El rufián dichoso*— no capitula
aceptando servilmente la «comedia nueva» en su
totalidad, sino que toma o rechaza —teórica y prác-
ticamente— una que otra regla de Lope. Lo hace
según las necesidades presentadas por su obsesio-
nante deseo de elaboración dramática que termina
sólo con el fin de sus días.

Y, volviendo, especialmente, a las ideas expresadas
en el diálogo por la Comedia, podemos decir, que con
su aceptación Cervantes ha asegurado en España un
interesante puesto en la historia de la TEORÍA DRA-
MÁTICA para *El rufián dichoso*, comedia religiosa
que, partiendo de la genial dramatización del hampa
sevillana, no es menos curiosa e interesante en la
totalidad orgánica de sus tres actos.

Fuente-fecha-versificación

Según ha indicado A. Cotarelo y Valledor, la fuente
de la comedia cervantina es la obra de fray Agustín
Dávila Padilla *La historia de la fundación y discurso
de la provincia de Santiago de México, de la Orden
de Predicadores* (Madrid, 1596). Hay desviaciones
de la fuente; por ejemplo, la conversión de Lugo
ocurre en la comedia en Sevilla y no en Toledo.
También «Dávila hace referencia al carácter muje-
riego de Lugo (dos citas en Cotarelo, págs. 352
y 378) y Cervantes no le sigue[10], probablemente por

---

[10] Dice la prostituta Antonia:

... pero en cosas del amor
por un leño le confieso.
No me lleva a mí tras él
Venus blanda y amorosa,
sino su aguda ganchosa
y su acerado broquel.

(Vv. 756-61. También vv. 1060-62.)

21

razones estéticas de su época.» (Casalduero, pág. 116.)

La comedia *El rufián dichoso* aparece en la colección cervantina de 1615, pero debió de escribirse «bastante antes», según Ynduráin, y parece posterior a la primera parte del *Quijote*. Según Casalduero (pág. 17), «no pudo escribirse antes de 1596». Sch. y B. piensan que «fue escrita por los años 1596 a 1600, cuando Cervantes estaba en la capital andaluza». (Vol. VI, página 129.)

El rufián dichoso tiene la composición usual de las comedias de santos. La versificación muestra bastante variedad, especialmente en el primer acto. Reproducimos el esquema de la edición de Sch. y B., pero añadiendo la enumeración de los versos para facilitar el uso docente. Es fácil notar el carácter decreciente de los versos en los tres actos: 1208 (I), 970 (II) y el tercero, mucho más corto, de 668 versos.

NUESTRA EDICIÓN

Seguimos la edición de los señores R. Schevill y A. Bonilla. La hemos cotejado con la de la *BAE* (ed. de F. Ynduráin). Para la ortografía hemos consultado la edición moderna de Angel Valbuena Prat (Aguilar, 1956). Las diferencias con el texto básico («Variantes») figuran entre las abundantes notas que acompañan nuestra edición.

La versificación

JORNADA PRIMERA

Versos sueltos (de 11 sílabas)	1 - 72
Octava	73 - 80
Quintillas	81 - 195
Romances en *i-a*	196 - 227
Quintillas	228 - 242

Redondillas	243 -	494
Tercetos	495 -	525
Quintillas	526 -	555
Versos sueltos (de 11 sílabas)	556 -	566
Cantar	567 -	596
Versos sueltos (de 11 sílabas)	597 -	650
Quintillas	651 -	655
Versos sueltos (de 11 sílabas)	656 -	701
Quintillas	702 -	721
Latín (prosa)		
Redondillas	722 -	945
Tercetos	946 -	958
Quintillas	959 -	993
Redondillas	994 -	1001
Quintillas	1002 -	1041
Redondillas	1042 -	1205
Final (cabeza de villancico)	1206 -	1208

JORNADA SEGUNDA

Romance en *a-e*	1209 -	1312
Quintillas	1313 -	1447
Tercetos	1448 -	1487
Quintillas	1488 -	1607
Redondillas	1608 -	1759
Romance en *o-a* (en parte cantar)	1760 -	1815
Redondillas	1816 -	1967
Octavas	1968 -	1983
Redondillas	1984 -	2115
Versos sueltos (de 11 sílabas)	2116 -	2178

JORNADA TERCERA

Tercetos	2179 -	2266
Versos sueltos (de 11 sílabas)	2267 -	2315
Redondillas	2316 -	2575

23

Sueltos (de 11 sílabas)		2576 - 2615
Octavas		2616 - 2687
Redondillas		2688 - 2739
Estrofas de 4 versos sueltos (de 7 y 11 sílabas)		2740 - 2779
Redondillas		2780 - 2799
Versos sueltos		2800 - 2846

	VERSOS:	Jornada primera	1.208
		Jornada segunda	970
		Jornada tercera	668
		TOTAL:	2.846

Juicios sobre la comedia
El rufián dichoso

1. Esta obra, que es el único drama específicamente religioso de Cervantes, no es sólo una poderosa concepción y realización en sí, sino que constituye una de las mejores *comedias de santos* de nuestra escena, a pesar de estar avalado el género por la serie de autores que va de Lope a Calderón. Angel Valbuena Prat: ed. *Obras completas de Miguel de Cervantes* (Madrid, Aguilar, 1956), pág. 323.

2. Pero probablemente las comedias superiores son las de carácter más realista, picaresco, aunque realidad y picarismo sean en ellas sólo motivos artísticos fundidos con aspectos ideales. En *El rufián dichoso* lo picaresco del primer acto se presenta en contraste con el tema religioso de las comedias de santos... En la otra, *Pedro de Urdemalas*, lo picaresco, pintado en cuadros deliciosos de la vida baja de los gitanos, está mezclado con escenas fantásticas de gracia ligera que alivian su peso. Angel del Río: *Historia de la literatura española*, ed. revisada, I (Nueva York, Holt, 1963), pág. 294.

24

3. Es lugar común, el de que las comedias de santos son, entre las clásicas, las que menos atraen al lector moderno. Sin embargo, si todas ellas tuvieran un primer acto tan excelente como el de *El rufián dichoso*, poseeríamos otros tantos admirables cuadros de la vida de aquel tiempo. Es innegable, en efecto, que el primer acto de *El rufián dichoso* es de lo mejor que la pluma de Cervantes ha escrito... Fue compuesto, sin duda, en momentos de genial inspiración. Lo que disminuye el mérito de los dos actos siguientes, no es tanto el asunto (poco adecuado, en verdad, para la escena) como el hecho de haber dormitado en ellos, hasta lo increíble, la inspiración aludida, puesto que carecen de originalidad y de arte, y el autor se cree obligado a recurrir a cada instante al alegado de las fuentes que utiliza, insistiendo en que «así se cuenta en su historia». R. Schevill y A. Bonilla: ed. *Comedias y entremeses de Cervantes*, VI (Madrid, 1922), páginas 123-124.

4. ... los señores Schevill y Bonilla... continúan diciéndonos que «el primer acto hubiera constituido por sí solo un excelente entremés»; luego añaden que las dos jornadas siguientes pertenecen a un género distinto y que no demuestran el menor conocimiento del medio mejicano; terminan diciendo que esas jornadas no revelan pericia en el arte dramático, «sino piadosa credulidad». Opiniones tan vulgares y superficiales, tan equivocadas y desorientadoras, que no se justifican por la época, sino por la falta de formación literaria, podrían ser olvidadas; pero es irritante que tanta mediocridad se atreva a opinar, y nada menos que sobre Cervantes. Cervantes nos ha dicho cómo componía su obra y el tema de cada una de las tres jornadas de su comedia:

Una de su vida libre,
otra de su vida grave,
otra de su santa muerte
y de sus milagros grandes.

J. Casalduero: *Sentido y forma del teatro de Cervantes*
(Madrid, 1951), págs. 107-108.

5. Tiene esta comedia, como acertadamente apuntó
Casalduero, un plan definitivo que da el propio autor
por boca del personaje alegórico, la Comedia, al prin-
cipio de la segunda jornada. Amelia del Río: «El
teatro cómico de Cervantes», *Boletín de la Real Academia Española*, XLIV (1964), 270.

6. *El rufián viudo* es uno de los dos entremeses cer-
vantinos en verso... En él vive una vez más el mundo
picaresco de Cervantes siempre felizmente captado,
el mundo del *Rinconete*, del acto primero de *El rufián
dichoso*... *El rufián* (viudo) es quizá algo menos jovial
que las páginas del *Rinconete*, y algo también del sar-
casmo quevedesco apunta ligeramente... algún mayor
atrevimiento en la palabra de lo que es en Cervantes
habitual puede asimismo señalarse. Pero toda la pieza
rebosa de esa irónica gracia con que Cervantes huma-
niza cuanto toca. Juan Luis Alborg, *Historia de la
literatura española*, II, Edad Barroca (Madrid, Ed. Gredos, S. A., 1970), págs. 72-74.

7. *Sobre el carácter entremesil del primer acto*.
«Algunas escenas de sus comedias *La entretenida*,
Pedro de Urdemalas y *El rufián dichoso*, las cuales, por
su carácter, personajes y estilo, participan de la índole
cómica de los entremeses y presentan con éste una
clara relación artística.» Amelia del Río, pág. 223.
«Para ser un verdadero entremés le faltaría a este
primer acto terminar bien en baile, canto o riña, o por
lo menos conservar el carácter rufianesco del protagonista. Pero como el pecador va a arrepentirse
y acabará en santo, es natural que Cervantes vaya

apuntando rasgos que hagan posible la contrición que ha de seguir y que empieza con el voto que hace Lugo de ser religioso al final del acto. A esta decisión va unido el desafío a los demonios, desafío que está de acuerdo con el carácter pendenciero de Lugo.» Amelia del Río, pág. 271.

Bibliografía

AGOSTINI DEL RÍO, Amelia, «El teatro cómico de Cervantes», *Boletín de la Real Academia Española*, XLIV (1964) y XLV (1965).

ALBORG, Luis JUAN, *Historia de la Literatura española*, II, Época Barroca (Madrid, Gredos, 1970).

CASALDUERO, Joaquín, *Sentido y forma del teatro de Cervantes*, Madrid, Aguilar, 1951.

CASSOU, Jean, y PILLEMENT, Jorge, *Le rufian heureux*, París, Masques, 1947.

CASTRO, Américo, *El pensamiento de Cervantes*, nueva edición, ampliada y con notas del autor y de Julio Rodríguez-Puértolas, Barcelona-Madrid, Noguer, 1972.

CERVANTES SAAVEDRA, Miguel de, *Pedro de Urdemalas*, ed. Edward Nagy, Nueva York, Las Américas Publishing Co., 1966.

—*Rinconete y Cortadillo*, ed. Francisco Rodríguez Marín, Sevilla, Real Academia Española, 1905.

—*Don Quijote de la Mancha*, texto y notas de Martín de Riquer, Nueva York, Las Américas Publishing Co., 1966.

COTARELO Y VALLEDOR, Armando, *El teatro de Cervantes*, Madrid, 1915.

CHAYTOR, H. J., *Dramatic Theory in Spain*, England, Cambridge Univ. Press, 1925.

HAZAÑAS Y LA RÚA, J., *Los rufianes de Cervantes: El rufián dichoso* y *El rufián viudo*, con un estudio preliminar y notas, Sevilla, Izquierdo y Cía., 1906.

MARRAST, Robert, *Miguel de Cervantès, dramaturge*, París, L'Arche, 1957.

PARKER, A. A., «Santos y bandoleros en el teatro del Siglo de Oro», *Arbor*, XIII (1949), pág. 400.

PIKE, Ruth, *Aristocrats and Traders. Sevillian Society in the Sixteenth Century*, Ithaca and London, Cornell Univ. Press, 1972; el capítulo IV («Social Outcasts and Unassimilated Classes»: «The Underworld»).

31

ROSALES, Luis, «La vocación y *El rufián dichoso*, de Cervantes», *Acta Salmanticensia*, X, parte II (1956).

SARTRE, Jean-Paul, *Le Diable et le Bon Dieu*, París, Gallimard, 1951.

SCHEVILL, R., y BONILLA SAN MARTÍN, A., ed. *Comedias y entremeses de Cervantes*, vol. III, Madrid, 1916; vol. VI, Madrid, 1922.

VALBUENA PRAT, A., ed. *Obras completas de Cervantes*, Madrid, Aguilar, 1952.

—*Historia del teatro español*, Barcelona, Noguer, 1956.

WARDROPPER, W. Bruce, el capítulo «Comedias», en *Suma Cervantina*, ed. por J. B. Avalle-Arce y E. C. Riley, Londres, Tamesis Books Limited, 1973, págs. 147-169.

YNDURÁIN, Francisco, ed. *Obras dramáticas de Miguel de Cervantes*, vol. 156, Madrid, Biblioteca de Autores Españoles, 1962.

El rufián dichoso

Comedia famosa intitulada

EL RUFIÁN DICHOSO

LOS QUE HABLAN EN ELLA SON LOS SIGUIENTES:

LUGO, estudiante.
LOBILLO y GANCHOSO, rufianes.
ALGUACIL.
DOS CORCHETES.
LAGARTIJA, muchacho.
Una DAMA.
Su MARIDO.
El INQUISIDOR TELLO DE SANDOVAL.
DOS MÚSICOS.
Un PASTELERO.
ANTONIA.
Otra MUJER.
CARRASCOSA, padre de la mancebía.
PERALTA y GILBERTO, estudiantes.
Un ÁNGEL.

LA COMEDIA.
LA CURIOSIDAD.
FRAY ANTONIO.
FRAY ÁNGEL.
EL PRIOR.
DOS CIUDADANOS.
DOÑA ANA DE TREVIÑO.
DOS CRIADOS.
Un CLÉRIGO.
LUCIFER.
VISIEL, demonio.
El VIRREY DE MÉJICO.
El PADRE CRUZ.
SAQUEL[11], demonio.
Tres ALMAS DE PURGATORIO.

Jornada primera

Salen LUGO, *envainando una daga de ganchos, y el* LOBILLO *y* GANCHOSO, *rufianes.* LUGO *viene como estudiante, con una media sotana, un broquel en la cinta y una daga de ganchos, que no ha de traer espada*

LOBILLO

¿Por qué fue la cuestión?

---

[11] *Saquel:* Saquiel (Jorn. III).

35

LUGO

No fue por nada.
No se repita, si es que amigos somos[12].

GANCHOSO

Quiso luego empinarse sobre el hombre[13],
y, siendo rufo de primer tonsura[14],
asentarse en la cátedra[15] de prima,   5
teniendo al hombre aquí por espantajo.

LUGO

Mis sores, poco a poco. Yo soy mozo
y mazo, y tengo hígados y bofes
para dar en el trato de la hampa
quinao[16] al más pintado de su escuela,   10
en la cual no recibe el grado alguno
de valeroso, por haber gran tiempo
que cura en sus entradas y salidas,
sino por las hazañas que [ha] ya hecho.
¿No tienen ya sabido que hay cofrades   15
de luz, y otros de sangre?[17]

---

12 *Amigos somos.* Comp. Monipodio: «—Nunca los amigos han
de dar enojo a los amigos..., y pues todos somos amigos, dense las
manos los amigos.» *(Rinconete y Cortadillo.)*

13 *Sobre el hombre.* Sch. y B. (BAE): *sobre llombre:* «La forma *ell*
del artículo es aquí propia de la gente del hampa. Tres versos más
adelante, dice Ganchoso *al lombre,* por *al hombre.*» (Sch. y B.)

14 *Rufo de primera tonsura:* Rufián novato, nuevo.

15 *La cátedra* (Valb.); *catreda* (Sch. y B.) y BAE.

16 *Dar quinao.* La frase *dar quinao,* según cree Hazañas y La
Rúa, se emplea en el siglo XVII en el sentido de *sobrepujar, vencer.*
Sch. y B. citan a Covarrubias: «*Quinao* es la victoria literaria,
cuando uno a otro le ha concluido, sin que le sepa responder.»
Quinao al más (Valb.); *quinao (o) al más* (Sch. y B.) y BAE.

17 *Cofrades de luz y de sangre.* Los que en las procesiones sevi-
llanas desfilaban con luces (cirios encendidos), o los que desnudos
de espaldas sometían éstas a los azotes hasta hacer estallar la sangre.
Aplicado a Lugo: bravo.

LOBILLO

Aqueso pido.

GANCHOSO

¡Hola, so Lobo! Si es que pide queso,
pídalo en otra parte, que en aquésta
no se da. Si no...

LOBILLO

¡Basta, seor [18] Ganchoso!
O logue luenga [19], y téngase por dicho,   20
que entrevo toda flor y todo rumbo [20].

GANCHOSO

¿Pues nosotros nacimos en Guinea [21],
so Lobo?

LOBILLO

No sé nada.

GANCHOSO

Pues apréndalo
con aquesta lección.

LUGO

¡Fuera, Lobillo!

---

[18] *Seor* (BAE y Valb.); *se(ñ)or* (Sch. y B.).
[19] *Logue luenga.* Sch. y B. sugieren el sentido de la frase: «respete
al principal»; «gobernar», «refrenar la lengua».
[20] *Entrever:* entender. *Flor:* engaño. *Rumbo:* peligro. En la lengua
de germanía.
[21] *Nacimos en Guinea:* ¿Somos cobardes? Somos personas hon-
radas.

GANCHOSO

Entrambos sois ovejas fanfarronas[22],   25
y gallinas mojadas, y conejos[23].

LOBILLO

¡Menos lengua y más manos, hideputa!

Salen a esta sazón un ALGUACIL *y dos* CORCHETES;
huyen GANCHOSO *y* LOBILLO; *queda solo* LUGO, *en-*
vainando

CORCHETE 1.º

¡Téngase a la justicia!

LUGO

                    ¡Tente, pícaro!
¿Conó[ce]sme?

CORCHETE 1.º

                    ¡So Lugo!

LUGO

                    ¿Qué so Lugo?

ALGUACIL

Bellacos, ¿no le asís?

CORCHETE 2.º

                    Señor nuestro amo,   30
¿sabe lo que nos manda? ¿No conoce
que es el señor Cristóbal el delinque?

---

22 *Fanfarronas, fanfarrones* (BAE y el texto).
23 *Ovejas..., conejos.* Palabras referentes a la cobardía. Recuerde
el discurso, arenga, de Laurencia en *Fuenteovejuna*, de Lope de
Vega.

ALGUACIL

¡Que siempre le he de hallar en estas danzas!
¡Por Dios, que es cosa recia! ¡No hay pa-
que lo pueda llevar!   [ciencia

LUGO

            Llévelo en cólera,   35
que tanto monta.

ALGUACIL

            Ahora yo [24] sé cierto
que ha de romper el diablo sus zapatos
alguna vez.

LUGO

        Mas que los rompa ciento;
que él los sabrá comprar donde quisiere.

ALGUACIL

El señor Sandoval tiene la culpa.   40

CORCHETE 2.º

Tello de Sandoval es su amo de éste.

CORCHETE 1.º

Y manda la ciudad, y no hay justicia
que le ose tocar por su respeto.

LUGO

El señor alguacil haga su oficio,
y déjese de cuentos y preámbulos.   45

_____

[24] Yo, Ya (Valb.).

ALGUACIL

¡Cuán mejor pareciera el señor Lugo
en su colegio que en la barbacana [25],
el libro en mano, y no el broquel en cinta!

LUGO

Crea el so alguacil que no le cuadra
ni esquina [26] el predicar; deje ese oficio   50
a quien le toca, y vaya y pique a prisa.

ALGUACIL

Sin picar [27] nos iremos, y agradézcalo
a su amo; que, a fe de hijodalgo,
que yo sé en qué parara este negocio.

LUGO

En irse y en quedarme.

CORCHETE 1.°

                    Yo lo creo,   55
porque es un Barrabás este Cristóbal.

CORCHETE 2.°

No hay gamo que le iguale en ligereza.

---

25 *Colegio. Barbacana.* En hábito de estudiante de uno de los
colegios sevillanos. La gente de mal vivir (pícaros, prostitutas)
visitaba con frecuencia la parte exterior, fuera de la muralla de
Sevilla, llamada *Barbacana.*

26 *Cuadrar, esquinar:* Juego de palabras. *No le cuadra:* No le
está bien. *Esquinar:* Juego por oposición a la palabra anterior.
Comp. «ni sé cómo es posible que esto cuadre / ni esquine con el
pleito de estos hombres.» (*Pedro de Urdemalas,* 1.)

27 Según Juan Hidalgo, *picar,* en germanía, equivale a «irse
a prisa».

40

CORCHETE 1.º

Mejor juega la blanca que la negra[28],
y en entrambas es águila volante.

ALGUACIL

Recójase, y procure no encontrarme,   60
que será lo más sano.

LUGO

          Aunque sea enfermo[29],
haré lo que fuere de mi gusto.

ALGUACIL

Venid vosotros.

Éntrase el ALGUACIL

CORCHETE 1.º

       So Cristóbal, vive
que no le conocí; sí, juro cierto.

CORCHETE 2.º

Señor Cristóbal, yo me recomiendo[30];   65
de mí no hay que temer; soy ciego y mudo
para ver ni hablar cosa que toque
a la mínima suela del calcorro[31],
que tapa y cubre la columna y basa
que sustentan la máquina hampesca.   70

---

[28] *La blanca, la negra:* Espadas. La primera era de combate (verdadera). La segunda (o la morena) era de esgrima.

[29] *Sano, enfermo:* Juego de palabras semejante al mencionado de «cuadrar, esquinar». V. 62: *füere* (diéresis); v. 199: *acïago.*

[30] *Recomiendo* (Valb.); *recomendo* (Sch. y B.) y BAE.

[31] *Calcorro:* zapato.

LUGO

¿Dónde cargaste, Calahorra?

CORCHETE 2.º

No sé; Dios con la noche me socorra.

Éntranse los dos CORCHETES

LUGO

Que sólo me respeten por mi amo,
y no por mí, no sé esta maravilla;
mas yo haré que salga de mí un bramo [32]   75
que pase de los muros de Sevilla.
Cuelgue mi padre de su puerta el ramo,
despoje de su jugo a Manzanilla,
conténtese en su humilde y bajo oficio [33],
que seré famoso en mi ejercicio.   80

Sale a este instante LAGARTIJA, *muchacho*

LAGARTIJA

Señor Cristóbal, ¿qué es esto?
¿Has reñido, por ventura,
que tienes turbado el gesto?

---

[32] *Bramo.* En germanía, «grito o aviso que se da a alguno descubriendo alguna cosa» (Hidalgo).

[33] *Bajo oficio.* Quiere decir que su padre era tabernero, como lo mencionará en la última jornada. El *ramo* (de pino) se colgaba en la puerta de una taberna. Cervantes en sus obras suele mencionar buenos vinos, domésticos (andaluces, castellanos) o extranjeros. El de *Manzanilla* es un famoso vino andaluz.

Pónele de sepultura
el ánimo descompuesto.   85
La de ganchos [34] saqué a luz,
porque me hiciese el buz [35]
un bravo por mi respeto;
mas huyóse de su aspeto,
como el diablo de la cruz.   90
¿Qué me quieres, Lagartija?

LAGARTIJA

La Salmerona [36] y la Pava,
la Mendoza y la Librija,
que es cada cual por sí brava,
gananciosa y buena hija,   95

---

[34] *La de ganchos*. La daga, llamada también en germanía *la ganchosa*.

[35] *Hacer el buz*, según la *Academia*, es hacer alguna demostración de obsequio o lisonja.

[36] *La Salmerona*... Nombres o, mejor dicho, alias o apodos de mujeres de burdel. *La Salmerona* y *La Mendoza* vienen, con probabilidad, de sus apellidos. *La Librija* viene de Lebrija. *La Pava* se refiere a la condición personal o alguna circunstancia. (En *Pedro de Urdemalas* encontramos la *Escalanta* y la *Becerril*. En *Rinconete y Cortadillo*, la *Escalanta*, la *Gananciosa*, la *Cariharta* y la *Pipota*.)

Comp. Monipodio: «¿Las manos había él de ser osado ponerlas en el rostro de la Cariharta, si en sus carnes, siendo persona que puede competir en limpieza y *ganancia* con la misma *Gananciosa* que está delante, que no lo puedo más encarecer?» *(Rinconete y Cortadillo.)* El licenciado Porras de la Cámara, en su *Memorial* al arzobispo de Sevilla en 1601, dice: «Pasan de 300 casas de juego y 3.000 de rameras, y hay hombres que con dos mesas quebradas y seis sillas viejas le vale la coyma 4.000 ducados...» («Memorial del licenciado Porras de la Cámara al arzobispo de Sevilla sobre el mal gobierno y corrupción de costumbres en aquella ciudad», *Revista de Archivos, Bibliotecas y Museos*, 3.ª época, IV [1900], 552.)

te suplican que esta·tarde,
allá cuando el sol no arde,
y hiere el rayo sencillo,
en el famoso Alamillo [37]
hagas de tu vista alarde.   100

LUGO

¿Hay regodeo?

LAGARTIJA

        Hay merienda [38],
que las más famosas cenas
ante ella cogen la rienda:
cazuelas de berenjenas
serán penúltima ofrenda.   105
Hay el conejo empanado,
por mil partes traspasado
con saetas de tocino;
blanco el pan, aloque el vino,
y hay turrón alicantado [39].   110
Cada cual para esto roba

---

[37] *El Alamillo*. Pudiera ser la huerta del Alamillo, en la orilla derecha del Guadalquivir, cerca de las *Cuevas*, o la no lejos de la Fuente del Arzobispo.

[38] No era menos abundante y sabroso el almuerzo en la casa de Monipodio. Comp. «se sentaron todos alrededor de la estera, y la Gananciosa tendió la sábana por manteles..., sacó de la cesta... rábanos..., naranjas y limones..., bacalao frito..., queso de Flandes..., aceitunas..., camarones..., cangrejos... y tres hogazas blanquísimas de Gandul.» *(Rinconete y Cortadillo.) Gandul:* pueblo cercano a Sevilla.

«Las escenas entremesiles de las comedias... varían de estrofa y verso, siguiendo la tradicional polimetría del teatro español...; emplea Cervantes quintillas para el magnífico relato que hace de la merienda Lagartija, y en boca de éste pone un romance sobre la muerte de un torero» (vv. 196-227). Amelia del Río, págs. 518-19.

[39] *Turrón alicantado:* Famoso turrón de Alicante.

blancas vistosas y nuevas,
una y otra rica coba[40];
dales limones las Cuevas[41]
y naranjas el Alcoba[42].   115
Daráles en un instante
el pescador arrogante,
más que le hay del Norte al Sur,
el gordo y sabroso albur[43]
y la anguila[44] resbalante.   120
El sábalo vivo, vivo,
colear en la caldera
o saltar en fuego esquivo,
verás en mejor manera
que te lo pinto y describo.   125
El pintado camarón,
con el partido limón
y bien molida pimienta,
verás cómo el gusto aumenta
y le saca de harón[45].   130

LUGO

¡Lagartija, bien lo pintas!

LAGARTIJA

Pues llevan otras mil cosas
de comer, varias, distintas,

---

[40] *Coba.* Tiene varios sentidos. La moneda «real» (germanía); «zalamería, persuasión» (lenguaje gitanesco); «la gallina» (el *Diccionario*). La primera acepción (la moneda) parece aquí más probable, según Sch. y B., y según Hazañas, «la gallina».

[41] *Las Cuevas:* El monasterio de Santa María de las Cuevas.

[42] *El Alcoba:* La huerta que pertenecía al Alcázar Real de Sevilla.

[43] *Albures*, cuya carne es blanca y sabrosa, se pescaban en el Guadalquivir. Cervantes los menciona en *Rinconete y Cortadillo:* «Pescado menudo, conviene, a saber, albures, o sardinas, o acedías.»

[44] *Anguila* (Valb.); *anguilla* (Sch. y B.); *angila* (BAE).

[45] *Harón:* Perezoso, holgazán. *Sacar de harón:* Hacer avivar.

que a voluntades golosas
las harán poner en quintas.   135

LUGO

¿Qué es [en] quintas?[46]

LAGARTIJA

                              En división,
llevándose la afición,
aquí y allí y acullá:
que la variedad hará
no atinar con la razón.   140

LUGO

¿Y quién van con ellas?

LAGARTIJA

                              ¿Quién?
El Patojo, y el Mochuelo,
y el Tuerto del Almadén[47].

LUGO

Que ha de haber soplo[48] recelo.

LAGARTIJA

Ve tú, y se hará todo bien.   145

LUGO

Quizá por tu gusto iré;
que tienes un no sé qué
de agudeza, que me encanta.

---

[46] *Es (en) quintas, es quintas* (Valb.).
[47] *El Tuerto del Almadén*. Nombres de jaques. Recuerde los de
Maniferro, el Repolido o Chiquiznaque, que ostentaban en la
cofradía de Monipodio en *Rinconete y Cortadillo*.
[48] *El soplo:* Soplar, avisar a la justicia. Delatar.

LAGARTIJA

Mi boca pongo en la planta
de tu valeroso pie.   150

LUGO

¡Alza, rapaz lisonjero,
indigno del vil oficio
que tienes!

LAGARTIJA

           Pues de él espero
salir presto a otro ejercicio
que muestre ser perulero[49].   155

LUGO

¿Qué ejercicio?

LAGARTIJA

           Señor Lugo,
será ejercicio de jugo[50],
puesto que en él se trabaja,
que es jugador de ventaja,
y de las bolsas verdugo.   160
¿No has visto tú por ahí
mil con capas guarnecidas
volantes más que un neblí
que en dos barajas bruñidas[51]
encierran un Potosí?[52]   165

---

[49] *Perulero:* Peruano. El que volvía rico del Perú a España. Pero Lagartija quiere enriquecerse en Sevilla, como explica a continuación, combinando el oficio de Rinconete (el juego) con el de Cortadillo (cortar bolsas).

[50] *De jugo, del jugo* (Valb.).

[51] *Bruñidas:* Especie de engaño que consistía en bruñir naipes para poder conocerlos al tacto.

[52] *Potosí.* En sentido de tesoro.

Cuál de éstos se finge manco
para dar un toque franco
al más agudo, y me alegro
de ver no usar de su negro
hasta que topen un blanco[53].   170

LUGO

¡Mucho sabes! ¿Qué papel
es el que traes en el pecho?

LAGARTIJA

¿Descúbreseme algo de él?
Todo el seso sin provecho
de Apolo se encierra en él.   175
Es un romance jacaro[54],
que le igualo y le comparo
al mejor que se ha compuesto;
hecha de la hampa el resto
en estilo xaco y raro.   180
Tiene vocablos modernos,
de tal manera, que encantan;
unos bravos, y otros tiernos;
ya a los cielos se levantan,
ya bajan a los infiernos.   185

LUGO

Dile, pues.

LAGARTIJA

            Séle de coro;
que ninguna cosa ignoro
de aquesta que a luz se saque.

---

[53] *Blanco:* Jugador inocentón, necio (germanía). *Negro:* Astuto,
fullero. Comp. Monipodio a Rinconete: «Todas ésas son flores...
viejas... y sólo sirven para alguno que sea tan *blanco* que se deja
matar de media noche abajo.» *(Rinconete y Cortadillo.)*

[54] *Romance jácaro.* De jaque, rufián: *rufianesco.* En el mismo
sentido: estilo *xaco, jacarandina* (reunión de pícaros o rufianes).

¿Y de qué se trata?[55]

LAGARTIJA
                De un jaque
que se tomó con un toro.   190

LUGO
Vaya, Lagartija.

LAGARTIJA
                Vaya,
y todo el mundo esté atento
a mirar cómo se ensaya
a pasar mi entendimiento
del que más sube la raya.   195
«Año de mil y quinientos
y treinta y cuatro corría[56],
a veinte y cinco de mayo,
martes, acïago día,
sucedió un caso notable   200
en la ciudad de Sevilla,
digno que ciegos le canten
y que poetas le escriban.
Del gran corral de los Olmos[57],
do está la jacarandina,   205
sale Reguilete[58], el jaque,

---

[55] *Trata, se trata* (Valb.).
[56] Con este romance sobre un jaque, que recita Lagartija a Lugo, «acentúase así el motivo rufianesco, enaltecido por la poesía». (Amelia del Río, pág. 271.) Su aparición en una situación cómica es un ejemplo más de la fusión de literatura y vida, muy frecuente en aquel entonces; «que decías» (v. 229); es decir, recitado. Sería, sin duda, más divertido «cantado y bailado».
[57] *El corral de los Olmos:* El patio de la catedral sevillana, igual que el corral de los Naranjos.
[58] *Reguilete:* Rehilete. Flechilla de papel que sirve para jugar.

vestido a las maravillas.
No va la vuelta del Cairo,
del Catay ni de la China,
ni de Flandes, ni Alemania,   210
ni menos de Lombardía;
va la vuelta de la plaza
de San Francisco bendita[59],
que corren toros en ella
por Santa Justa y Rufina,   215
y, apenas entró en la plaza,
cuando se lleva la vista
tras sí de todos los ojos,
que su buen donaire miran.
Salió en esto un toro hosco,   220
¡válgame[60] Santa María!,
y, arremetiendo con él,
dio con él patas arriba.
Dejóle muerto y mohíno,
bañado en su sangre misma;   225
y aquí da fin el romance
porque llegó el de su vida.»

LUGO

¿Y éste es el romance bravo
que decías?

LAGARTIJA

Su llaneza
y su buen decir alabo;   230
y más, que muestra agudeza
en llegar tan presto al cabo.

LUGO

¿Quién lo compuso?

---

[59] *Plaza de San Francisco:* La más famosa de Sevilla. Actual-
mente llamada de la Constitución.
[60] *Válgame* (Valb.); *válasme* (Sch. y B.) y BAE.

LAGARTIJA

Tristán[61],
que gobierna en San Román
la bendita sacristía,   235
que excede en la poesía
a Garcilaso y Boscán.

Entra a este instante una DAMA, *con el manto hasta
la mitad del rostro*

DAMA

Una palabra, galán.

LUGO

Ve con Dios, y quizá iré,
si estás cierto que allá van.   240

LAGARTIJA

Digo que van, yo lo sé,
y sé que te aguardarán[62].

Éntrase LAGARTIJA

DAMA

Arrastrada de un deseo
sin provecho resistido,
a hurto de mi marido,   245
delante de vos me veo.
Lo que este manto os encubre
mirad, y después veréis.

(Mírala por debajo del manto.)

---

[61] *Tristán*. Nótese el tono burlón con que «elogia» a un tal
sacristán-poeta, que «excede» a dos famosas figuras literarias.
[62] *Aguardarán, agradarán* (Valb.).

si es razón que remediéis
lo que la lengua os descubre.   250
¿Conocéisme?

LUGO

Demasiado.

DAMA

En eso veréis la fuerza
que me incita y aun me fuerza
a ponerme en este estado;
mas, porque no estéis en calma   255
pensando a qué es mi venida,
digo que a daros mi vida
con la voluntad del alma.
Vuestra rara valentía
y vuestro despecho han hecho   260
tanta impresión en mi pecho,
que pienso en vos noche y día.
Quítame este pensamiento
pensar en mi calidad,
y al gusto la voluntad   265
da libre consentimiento;
y así, sin guardar decoro
a quien soy en ningún modo,
habré de decirlo todo:
sabed, Lugo, que os adoro.   270
No fea, y muy rica soy;
sabré dar, sabré querer,
y esto lo echaréis de ver
por este trance en que estoy:
que la mujer ya rendida,   275
aunque es toda mezquindad,
muestra liberalidad
con el dueño de su vida.
En la tuya o en mi casa,
de mí y de mi hacienda puedes   280

prometerte, no mercedes,
sino servicios sin tasa;
y, pues miedo nò te alcanza,
no te le dé mi marido,
que el engaño siempre ha sido   285
parcial de la confianza.
No llegan[63] de los recelos,
porque los tiene discretos,
a hacer los tristes efetos[64]
que suelen hacer los celos;   290
y porque nunca ocasión
de tenerlos yo le he dado,
le juzgo por engañado
a nuestra satisfacción.
¿Para qué arrugas la frente   295
y alzas las cejas? ¿Qué es esto?

LUGO

En admiración me ha puesto
tu deseo impertinente.
Pudieras, ya que querías
satisfacer tu mal gusto,   300
buscar un sujeto al justo
de tus grandes bizarrías;
pudieras, como entre peras,
escoger en la ciudad
quien diera a tu voluntad   305
satisfacción con más veras;
y así tuviera[s] disculpa
con la alteza del empleo
tu mal nacido deseo,
que en mi bajeza te culpa.   310
Yo soy un pobre criado
de un inquisidor, cual sabes,
de caudal, que está sin llaves,

---

[63] *Llegan, lleguen* (BAE).
[64] *Efetos, efectos;* v. 1464: *Egito.*

entre libros abreviado;
vivo a lo de Dios es Cristo[65],   315
sin estrechar el deseo,
y siempre traigo el baldeo[66]
como sacabuche[67] listo;
ocúpome en bajas cosas
y en todas soy tan terrible,   320
que el acudir no es posible
a las que son amorosas;
a lo menos a las altas,
como en las que en ti señalas:
que son de cuervo mis alas.   325

DAMA

No te pintes con más faltas,
porque en mi imaginación
te tiene amor retratado
del modo que tú has contado,
pero con más perfección.   330
No pido hagas quimeras
de ti mismo; sólo pido,
deseo bien comedido,
que, pues te quiero, me quieras.
Pero, ¡ay de mí, desdichada!   335
¡Mi marido! ¿Qué haré?
Tiemblo y temo, aunque bien sé
que vengo bien disfrazada.

Entra su MARIDO

LUGO

Sosegaos, no os desviéis, .
que no os ha de descubrir.   340

---

[65] *A lo de Dios es Cristo:* A lo valiente.
[66] *Baldeo:* La espada (germanía).
[67] *Sacabuche:* Instrumento músico de metal. Trombón.

DAMA

Aunque me quisiera ir,
no puedo mover los pies.

MARIDO

Señor Lugo, ¿qué hay de nuevo?

LUGO

Cierta cosa que contaros,
que me obligaba a buscaros.   345

DAMA

Irme quiero, y no me atrevo.

MARIDO

Aquí me tenéis; mirad
lo que tenéis que decirme.

DAMA

Harto mejor fuera irme.

LUGO

Llegaos aquí, y escuchad.   350
La hermosura que dar quiso
el cielo a vuestra mujer,
con que la vino a hacer
en la tierra un paraíso,
ha encendido de manera   355
de un mancebo el corazón,
que le tiene hecho carbón
de la amorosa hoguera.
Es rico y es poderoso,
y atrevido de tal modo,   360
que atropella y rompe todo
lo que es más dificultoso.

No quiere usar de los medios
de ofrecer ni de rogar,
porque, en su mal, quiere usar   365
de otros más breves remedios.
Dice que la honestidad
de vuestra consorte es tanta,
que le admira y que le espanta
tanto como la beldad.   370
Por jamás le ha descubierto
su lascivo pensamiento:
que queda su atrevimiento,
ante su recato, muerto.

MARIDO

¿Es hombre que entra en mi casa?   375

LUGO

Róndala, mas no entra en ella.

MARIDO

Quien casa con mujer bella,
de su honra se descasa,
si no lo remedia el cielo.

DAMA

¿Qué es lo que tratan los dos?   380
¿Si es de mí? ¡Válgame Dios,
de cuántos males recelo!

LUGO

Digo, en fin, que es tal el fuego
que a este amante abrasa y fuerza,
que quiere usar de la fuerza   385
en cambio y lugar del ruego.

Robar quiere a vuestra esposa,
ayudado de otra gente
como yo, de esta valiente,
atrevida y licenciosa.   390
Hame dado cuenta de ello,
casi como a principal
de esta canalla mortal,
que en hacer mal echa el sello.
Yo, aunque soy mozo arriscado,   395
de los de campo través,
ni mato por interés,
ni de ruindades me agrado.
De ayudarle he prometido,
con intención de avisaros: 400
que es fácil el repararos
estando así prevenido.

MARIDO

¿Soy hombre yo de amenazas?
Tengo valor, ciño espada.

LUGO

No hay valor que pueda nada   405
contra las traidoras trazas.

MARIDO

En fin, ¿mi consorte ignora
todo este cuento?

LUGO

                    Así ella
os ofenda, como aquella
cubierta y buena señora.   410
Por el cielo santo os juro
que no sabe nada de esto.

MARIDO

De ausentarla estoy dispuesto.

LUGO

Eso es lo que yo procuro.

MARIDO

Yo la pondré donde el viento   415
apenas pueda tocalla.

LUGO

En el recato se halla
buen fin del dudoso intento.
Retiradla, que la ausencia
hace, pasando los días,   420
volver las entrañas frías
que abrasaba la presencia;
y nunca en la poca edad
tiene firme asiento amor,
y siempre el mozo amador   425
huye la dificultad.

MARIDO

El aviso os agradezco,
señor Lugo, y algún día
sabréis de mi cortesía
si vuestra amistad merezco.   430
El nombre saber quisiera
de este galán que me acosa.

LUGO

Eso es pedirme una cosa
que de quien soy no se espera.
Basta que vais avisado   435

de lo que más os conviene,
y este negocio no tiene
más de lo que os he contado.
Vuestra consorte, inocente
está de todo este hecho;   440
vos, con esto satisfecho,
haced como hombre prudente.

MARIDO

Casa fuerte y heredad
tengo en no pequeña aldea,
y llaves, que harán que sea   445
grande la dificultad
que se oponga al mal intento
de ese atrevido mancebo.
Quedaos, que en el alma llevo
más de un vario pensamiento.   450

Vase el MARIDO

DAMA

Entre los dientes ya estaba
el alma para dejarme;
quise, y no pude mudarme,
aunque más lo procuraba.
¡Mucho esfuerzo ha menester   455
quien, con traidora conciencia,
no se alborota en presencia
de aquel que quiere ofender!

LUGO

Y más si la ofensa es hecha
de la mujer al marido.   460

DAMA

El nublado ya se ha ido;
hazme agora satisfecha,

contándome qué querías
a mi esclavo y mi señor.

LUGO

Hanme hecho corredor   465
de no sé qué mecancías.
Díjele, si las quería,
que fuésemos luego a vellas.

DAMA

¿De qué calidad son ellas?

LUGO

De la de mayor cuantía;   470
que le importa, estoy pensando,
comprarlas, honor y hacienda.

DAMA

¿Cómo haré yo que él entienda
esa importancia?

LUGO

                    Callando.
Calla y vete, y así harás   475
muy segura su ganancia.

DAMA

¿Pues qué traza de importancia
en lo[68] de gozarnos das?

LUGO

Ninguna que sea de gusto;
por hoy, a lo menos.

---

[68] *Lo*, *la* (BAE).

DAMA

                  ¿Pues   480
cuándo la darás, si es
que gustas de lo que gusto?

LUGO

Yo haré por verme contigo.
Vete en paz.

DAMA

              Con ella queda,
y el amor contigo pueda   485
todo aquello que conmigo.

LUGO

Como de rayo del cielo,
como en el mar de tormenta,
como de improviso afrenta,
y terremoto del suelo;   490
como de fiera indignada,
del vulgo insolente y libre,
pediré a Dios que me libre
de mujer determinada.

Éntrase LUGO. *Sale el licenciado* TELLO DE SANDOVAL,
amo de CRISTÓBAL DE LUGO, *y el* ALGUACIL *que
salió primero*

TELLO

¿Pasan de mocedades?

ALGUACIL

              Es de modo   495
que, si no se remedia, a buen seguro
que ha de escandalizar [al] pueblo todo.

Como cristiano, a vuesa merced juro
que piensa y hace tales travesuras,
que nadie de él se tiene por seguro.   500

TELLO

¿Es ladrón?

ALGUACIL

No, por cierto.

TELLO

                                    ¿Quita a oscuras
las capas en poblado?

ALGUACIL

                                    No, tampoco.

TELLO

¿Qué hace, pues?

ALGUACIL

                                    Otras cien mil diabluras
Esto de valentón le vuelve loco:
aquí riñe, allí hiere, allí se arroja,   505
y es en el trato airado el rey y el coco:
con una daga que le sirve de hoja,
y un broquel que pendiente trae al lado,
sale con lo que quiere o se le antoja.
Es de toda la hampa respetado,   510
averigua pendencias y las hace,
estafa, y es señor de lo guisado[70];
entre rufos, él hace y él deshace,

---

69 *En poblado, del poblado* (BAE).
70 *Guisado* (germanía): Casa llana, mancebía.

el corral de los Olmos le da parias,
y en el dar cantaletas[71] se complace.   515
Por tres heridas de personas varias,
tres mandamientos traigo y no ejecuto,
y otros dos tiene el alguacil Pedro Arias.
Muchas veces he estado resoluto
de aventurarlo todo y de prenderle,   520
o ya a la clara, o ya con modo astuto;
pero, viendo que da en favorecerle
tanto vuesa merced, aún no me atrevo
a mirarle, tocarle ni ofenderle.

TELLO

Esta deuda conozco que la debo,   525
y la pagaré algún día,
y procuraré que Lugo
use de más cortesía,
o le seré yo verdugo,
por vida del alma mía.   530
Mas lo mejor es quitarle
de aquesta tierra, y llevarle
a México, donde voy,
no obstante que puesto estoy
a reñirle y castigarle.   535
Vuesa merced en buen hora
vaya, que yo le agradezco
el aviso, y desde agora
todo por suyo me ofrezco.

ALGUACIL

Ya adivino su mejora   540
sacándole de Sevilla,
que es tierra do la semilla
holgazana se levanta

---

[71] *Cantaletas:* Dar matraca. Ruido y griterío. También burla.

sobre cualquiera otra planta
que por virtud maravilla.   545

Éntrase el ALGUACIL

TELLO

¡Que aqueste mozo me engañe
y que tan a suelta rienda
a mi honor y su alma dañe!
Pues yo haré, si no se enmienda,
que de mi favor se extrañe: 550
que, viéndose sin ayuda,
será posible que acuda
a la enmienda de su error:
que a la sombra del favor
crecen los vicios, sin duda.   555

Éntrase TELLO. *Salen dos* MÚSICOS *con guitarras,*
y CRISTÓBAL *con su broquel y daga de ganchos*

LUGO

Toquen, que ésta es la casa, y al seguro,
que presto llegue el bramo a los oídos
de la ninfa, que he dicho, jerezana,
cuya vida y milagros en mi lengua
viene cifrada en verso correntío [72].   560
A la jácara toquen, pues comienzo.

MÚSICO 1.º

¿Quieres que le rompamos las ventanas
antes de comenzar, porque esté atenta?

---

[72] *Verso correntío:* Verso ligero, suelto. Comp. *La gitanilla*, de
Cervantes: «Replicó Preciosa sus sonajas, y al tono correntío
y loquesco cantó el siguiente romance...»

Acabada la música, andaremos
aquestas estaciones[73]. Vaya ahora   565
el guitarresco son, y el aquelindo[74].

        (Tocan.)

«Escucha, la que viniste
de la jerezana tierra
a hacer a Sevilla guerra
en cueros[75], como valiente;   570
la que llama su pariente
al gran Miramamolín[76];

---

[73] *Andar estaciones.* Comp. en la novelita morisca *Historia del abencerraje y la hermosa Jarifa*, que figura en el *Inventario*, de Antonio de Villegas, dice el enamorado moro: «Andaba todas sus estaciones.» Proviene de la expresión religiosa: una sucesión de lugares en recuerdo de la Pasión de Cristo. Aquí, como en la novelita renacentista, con sentido profano: visitar los diversos lugares (ventanas) de «ninfas», al sastre, dar asalto al pastelero. Cervantes menciona en el *Quijote* (I, cap. V) la novelita, la versión incluida en la *Diana*, de Jorge de Montemayor, pero en ésta, en vez de «estaciones», viene «estancias».

[74] *El aquelindo.* Pudiera ser: *¡Oh, qué lindo!*, el comienzo de un baile o una canción popular.

[75] *En cueros:* Desnuda. Según Hazañas, «la jerezana había venido a Sevilla a comerciar con su cuerpo y a hacer guerra con él, así como los valientes lo hacían».

[76] *Miramamolín.* Llamarle su pariente quiere decir descender de moros. El gracioso donado, pícaro y fanfarrón Chinarro, en el auto tirsiano *La madrina del cielo*, cuenta a su amo Santo Domingo cómo ha luchado contra Miramamolín:

> Es verdad, Dios me es testigo.
> A las Navas de Tolosa
> con don Álvaro he partido,
> noveno rey de Castilla,
> que era mi íntimo amigo,
> contra Miramamolín.
> que contra España ha traído
> de moros seis mil millones.

El fanfarrón de Chinarro exagera cómicamente el adjetivo «gran» de Lugo.

— 5

la que se precia de ruin,
como otras de generosas;
la que tiene cuatro cosas,   575
y aun cuatro mil, que son malas;
la que pasea sin alas
los aires en noche oscura;
la que tiene a gran ventura
ser amiga de un lacayo;   580
la que tiene un papagayo
que siempre la llama puta;
la que en vieja y en astuta
da quinao a Celestina;
la que, como golondrina,   585
muda tierras y sazones;
la que a pares, y aun a nones,
ha ganado lo que tiene;
la que no se desaviene
por poco que se le[77] dé;   590
la que su palabra y fe
que diese, jamás guardó;
la que en darse a sí excedió
a las godeñas[78] más francas;
la que echa por cinco blancas   595
las habas y el cedacillo[79].»

Asómase a la ventana UNO *medio desnudo, con un paño
de tocar*[80] *y un candil*

---

[77] *Le, la* (Valb.).

[78] *Godeña*. Aquí, no rica ni principal, sino mujer pública.

[79] *Cedacillo*. Las habas y el cedacillo son engaños con que brujas celestinescas pronostican el futuro o echan la suerte.

[80] *Paño de tocar:* Tocador con que se cubre la cabeza. Sigue el divertido diálogo entre ese «uno» (un sastre remendón) y los rufianes. Parecido recurso de un personaje «tras una luz» se encuentra en las novelas ejemplares *La ilustre fregona* y *La fuerza de la sangre*, donde aparecen dos hermosuras femeninas. Aquí, el atuendo y el diálogo hacen cómica la aparición fugaz del sastre, y la de mujeres es sublime, de nimbo poético.

UNO

¿Están en sí, señores? ¿No dan cata[81]
que no los oye nadie en esta casa?

MÚSICO 1.º

¿Cómo así, tajamoco?[82]

UNO

Porque el dueño
ha que está ya a la sombra cuatro días.   600

MÚSICO 2.º

Convaleciente, di: ¿cómo a la sombra?

UNO

En la cárcel; ¿no entrevan?

LUGO

¿En la cárcel?
Pues ¿por qué la[83] llevaron?

UNO

Por amiga
de aquel Pierres Papín[84], el de los naipes.

MÚSICO 1.º

¿Aquel francés giboso?

---

[81] *No dan cata:* No advierten.

[82] *Tajamoco.* Parece, según Sch. y B., referirse a la actitud o acción del vecino que sale a la ventana. *Tajar* es cortar el moco del candil. La expresión despectiva sería más completa si se refiriera también al humor que pudiera salir de sus narices.

[83] *La, le* (BAE).

[84] *Pierres Papín:* Fabricante de naipes; el francés giboso de naipes.

UNO

Aquese mismo,   605
que en la cal de la Sierpe[85] tiene tienda.

LUGO

¡Éntrate, bodegón almidonado!

MÚSICO 2.º

¡Zambúllete[86], fantasma antojadiza!

MÚSICO 1.º

¡Escóndete, podenco cuartanario!

UNO

Éntrome, ladroncitos en cuadrilla;   610
zambúllome, cernícalos rateros;
escóndome, corchetes a lo Caco[87].

LUGO

¡Vive Dios, que es de humor el hideputa!

UNO

No tire nadie; estén las manos quedas,
y anden las lenguas.

MÚSICO 1.º

¿Quién te tira, sucio?   615

---

[85] *La calle de la Sierpe*. Se llama *Sierpe* por una quijada que dicen ser de sierpe, que estaba colgada en un mesón céntrico. Conocida por Cárcel Real, donde estuvo preso Cervantes y donde pudo engendrarse el *Quijote*, en cuya «Aventura de los rebaños» (I, cap. XVIII) menciona a Papín.

[86] *Zambúllete* (Valb.); *zabullete* (Sch. y B.) y BAE. También v. 611.

[87] *Caco:* Ladrón muy hábil.

UNO

¿Hay más? ¡Si no me abajo, cuál me paran!
¡Mancebitos, adiós! Que no soy pera,
que me han de derribar a terronazos.

Éntrase

LUGO

¿Han visto los melindres del bellaco?
No le tiran, y quéjase.

MÚSICO 2.º

        [Este] es un sastre[88]   620
remendón muy donoso.

MÚSICO 1.º

        ¿Qué haremos?

UNO

Vamos a dar asalto al pastelero[89],
que está aquí cerca.

MÚSICO 2.º

        Vamos, que ya es hora
que esté haciendo pasteles; que este ciego
que viene aquí nos da a entender cuan cerca   625

Entra un CIEGO

viene ya el día.

---

[88] *Sastres.* En las obras de la época conocidos por sus mentiras
y hurtos.
[89] *Pasteleros.* También, junto con los sastres, son objeto de sátira.
Dicen que ponían la carne humana en los pasteles.

CIEGO

No he madrugado mucho,
pues que ya suena[90] gente por la calle.
Hoy quiero comenzar por este sastre.

LUGO

¡Hola, ciego, buen hombre!

CIEGO

¿Quién me llama?

LUGO

Tomad aqueste real, y diecisiete   630
oraciones decid, una tras otra,
por las almas que están en purgatorio[91].

CIEGO

Que me place, señor, y haré mis fuerzas
por decirlas devota y claramente.

LUGO

No me las engulláis, ni me echéis sisa[92]   635
en ella.

CIEGO

No, señor; ni por semejas.
A las Gradas[93] me voy, y allí, sentado,
las diré poco a poco.

---

[90] *Suena:* Se oye.
[91] *En Purgatorio*. Sin artículo. Hoy, en el Purgatorio.
[92] *Echar sisa:* Engañar abreviando la oración. Comp. el ciego
en *El lazarillo de Tormes*. No faltan ciegos, oraciones y ánimas
en la picaresca comedia cervantina *Pedro de Urdemalas*.
[93] *Gradas*. Las de la catedral de Sevilla.

LUGO

¡Dios os guíe!

Vase el CIEGO

MÚSICO 1.º

¿Quédate para vino, Lugo amigo?

LUGO

Ni aun un solo cornado.

MÚSICO 1.º

                    ¡Vive Roque[94],   640
que tienes condición extraordinaria!
Muchas veces te he visto dar limosna
al tiempo que la lengua se nos pega
al paladar, y sin dejar siquiera
para comprar un polvo de Cazalla[95].   645

LUGO

Las ánimas me llevan cuanto tengo;
mas yo tengo esperanza que algún día
lo tienen de volver ciento por uno.

MÚSICO 2.º

¡A la larga lo tomas!

LUGO

                    Y a lo corto;
que al bien hacer jamás le falta premio.   650

---

[94] *Vive Roque.* Uno de los juramentos.
[95] *Cazalla.* Famoso vino del lugar del mismo nombre, en la provincia de Sevilla. *Polvo:* trago.

Suena dentro como que hacen pasteles, y canta UNO
dentro lo siguiente:

UNO

«¡Afuera, consejos vanos[96],
que despertáis mi dolor!
No me toquen vuestras manos;
que, en los consejos de amor,
los que matan son los sanos.»   655

MÚSICO 1.º

¡Hola! Cantando está el pastelerazo,
y, por lo menos, los *consejos vanos*.
¿Tienes pasteles, cangilón con tetas?[97]

PASTELERO

¡Músico de mohatra sincopado![98]

LUGO

Pastelero de riego, ¿no respondes?   660

PASTELERO

Pasteles tengo, mancebitos hampos[99];
mas no son para ellos, corchapines[100].

---

[96] *Consejos vanos*. Una antigua copla.

[97] *Cangilón:* Especie de cántaro o de vaso. Un hombre muy gordo y bebedor (Covarrubias); por eso: «con tetas». *Teta:* además de su significación corriente, significa una especie de uvas.

[98] *Músico de mohatra sincopado. Mohatra:* contrato fraudulento. *Sincopar:* abreviar, suprimir una o varias letras por síncopa. «Si de *mo-ha-tra* quitamos la sílaba final, queda *mo-ha*, palabra que, aspirando la *h* a la andaluza, puede aludir al mismo vicio de empinar el codo que el músico echó en cara al pastelero.» (Sch. y B.) *Empinar el codo:* Beber mucho, es decir, «cangilón». Sigue: «de riego» y el juego de palabras entre «buenos vinos» y «malos vinagres».

[99] *Hampos:* Del hampa.

[100] *Corchapín:* Escorchapín (it., *scorciapino*). Pequeña embarcación de vela para transportar soldados y provisiones.

LUGO

¡Abre, socarra[101], y danos de tu obra!

PASTELERO

¡No quiero, socarrones! ¡A otra puerta,
que no se abre aquésta por ahora!   665

LUGO

¡Por Dios, que a puntapiés la hago leña
si acaso no nos abres, buenos vinos!

PASTELERO

¡Por Dios, que no he de abrir, malos vinagres!

LUGO

¡Agora lo veredes!, dijo Agrajes[102].

MÚSICO 1.º

¡Paso, no la derribes! ¡Lugo, tente!   670

Da de coces a la puerta; salen el PASTELERO *y sus
secuaces con palas y barreros y asadores*

PASTELERO

¡Bellacos, no hay aquí Agrajes que valgan;
que, si tocan historias, tocaremos
palas y chuzos!

MÚSICO 2.º

[En]ciérrate, capacho!

---

[101] *Socarra:* Socarrón, bellaco.
[102] *Agrajes:* Primo de Amadís en la novela de caballería *Amadís
de Gaula;* «historias», dice el pastelero.

¿Quieres que te derribe aquesas muelas,
remero de Carón el chamuscado? [103]   675

PASTELERO

¡Cuerpo de mí! ¿Es Cristóbal el de Tello?

MÚSICO 1.º

El es. ¿Por qué lo dices, zangomango? [104]

PASTELERO

Dígolo porque yo le soy amigo
y muy servidor, y para cuatro
o para seis pasteles, no tenía   680
para qué romper puertas ni ventanas,
ni darme cantaletas ni matracas.
Entre Cristóbal, sus amigos entren,
y allánese la tienda por el suelo.

LUGO

¡Vive Dios, que eres príncipe entre príncipes, 685
y que esa sumisión te ha de hacer franco
de todo mi rigor y mal talante!
Enváinense la pala y barrederas,
y amigos *usque ad mortem*.

PASTELERO

                Por San Pito [105],
que han de entrar todos, y la buena estrella   690

---

[103] *Carón:* Remero que embarcaba en el famoso «esquife de
Caronte» almas, transportándolas al transmundo, infiernos («chamuscado»). Recuérdese la obra satírica de Alfonso de Valdés *El
diálogo de Mercurio y Carón.*

[104] *Zangomango.* Zangomanga es «treta, ardid». *(Dicc.)*

[105] *Por San Pito. Pito:* Instrumento que soplando produce un
sonido agudo; bagatela.

han de hacer a la hornada, que ya sale;
y más, que tengo de Alanís[106] un cuero
que se viene a las barbas y a los ojos.

MÚSICO 1.º

De miedo hace todo cuanto hace
aqueste marión[107].

LUGO

             No importa nada.   695
Asgamos la ocasión por el harapo,
por el hopo o copete, como dicen,
ora la ofrezca el miedo o cortesía.
El señor pastelero es cortesísimo,
y yo le soy amigo verdadero,   700
y hacer su gusto por mi gusto quiero.

Éntranse todos. Sale ANTONIA, *con su manto, no muy
aderezada, sino honesta*

ANTONIA

Si ahora yo le hallase
en su aposento, no habría
cosa de que más gustase;
quizá a solas le diría   705
alguna que le ablandase.
Atrevimiento es el mío;
pero dame esfuerzo y brío
estos celos y este amor[108],

---

[106] *Alanís:* Vino blanco del pueblo del mismo nombre, de la
provincia de Sevilla.

Alanís. El texto: *Alamí (Alamín*, fiel de pesas y medidas).

[107] *Marión:* Marica, afeminado, cobarde («de miedo»). Comp. la
arenga de la capitana popular Laurencia en *Fuenteovejuna*, de Lope
de Vega: «maricones, / amujerados, cobardes» (III)..

[108] *Dame... celos..., amor*. Sch. y B. notan la concordancia del
sujeto en plural con el verbo en singular. Comp. «cuando les dio
a todos gran sobresalto los golpes que dieron a la puerta.» (*Rin-*

que rinden con su rigor   710
al más exento albedrío.
Esta es la casa, y la puerta,
como pide mi deseo,
parece que está entreabierta;
mas, ¡ay!, que a sus quicios veo   715
yacer mi esperanza muerta.
Apenas puedo moverme;
pero, en fin, he de atreverme,
aunque tan cobarde estoy,
porque en el punto de hoy   720
está el ganarme o perderme.

Sale el inquisidor TELLO DE SANDOVAL, *con ropa
de levantar, rezando en unas horas*[109]

TELLO

Deus in adiutorium meum intende.
Domine, ad adiuvandum me festina.
Gloria Patri, et Filio et Spiritui Sancto.
Sicut erat, etc.
¿Quién está ahí? ¿Qué ruïdo
es ése? ¿Quién está ahí?

ANTONIA

¡Ay, desdichada de mí!
¿Qué es lo que me ha sucedido?   725

TELLO

Pues, señora, ¿qué buscáis
tan de mañana en mi casa?
Este de madrugar pasa.
No os turbéis. ¿De qué os turbáis?

---

conete y Cortadillo.) Como el sujeto está en plural (los golpes),
debe entenderse «les dieron».
    [109] *Horas:* Horas, el devocionario.

ANTONIA

¡Señor!

TELLO

Adelante. ¿Qué es?   730
Proseguid vuestra razón.

ANTONIA

Nunca la errada intención
supo enderezar los pies.
A Lugo vengo a buscar.

TELLO

¿Mi criado?

ANTONIA

Sí, señor.   735

TELLO

¿Tan de mañana?

ANTONIA

El amor
tal vez hace madrugar.

TELLO

¿Bien le queréis?

ANTONIA

No lo niego;
mas quiérole en parte buena.

TELLO

El madrugar os condena.   740

ANTONIA

Siempre es solícito el fuego.

TELLO

En otra parte buscad
materia que le apliquéis,
que en mi casa no hallaréi[s]
sino toda honestidad;   745
y si el mozo da ocasión
que le busquéis, yo haré
que desde hoy más no os la dé.

ANTONIA

Enójase sin razón
vuesa merced; que, en mi alma,   750
que el macebo es de manera,
que puede llevar do quiera
entre mil honestos palma.
Verdad es que él es travieso,
matante [110], acuchillador;   755
pero, en cosas del amor,
por un leño [111] le confieso.
No me lleva a mí tras él
Venus blanda y amorosa,
sino su aguda ganchosa [112]   760
y su acerado broquel.

TELLO

¿Es valiente?

ANTONIA

                   ·Muy bien puedes
sin escrúpulo igualarle,
y aun quizá será agraviarle,

---

[110] *Matante.* Aquí: bravo.
[111] *Leño.* Véase la cita núm. 10.
[112] *Aguda ganchosa:* La daga.

a García de Paredes [113].   765
Y por esto este mocito
trae a todas las del trato [114]
muertas: por ser tan bravato [115];
que en lo demás es bendito.

TELLO

Óigole. Escondeos aquí,   770
porque quiero hablar con él
sin que os vea.

ANTONIA

¡Que no es él!

TELLO

Es, sin duda, yo le oí.
Después os daré lugar
para hablarle.

ANTONIA

Sea en buen hora.   775

Escóndese ANTONIA. *Entra* LUGO *en cuerpo, pendiente*
a las espaldas el broquel y la daga, y trae el rosario
en la mano

---

[113] *García de Paredes.* Valiente soldado de increíble fuerza.
(Trujillo, 1466; muere en Bolonia en 1530 ó 1534.) Llamado el
Hércules de España y el Sansón de Extremadura. Cervantes, por
boca del cura, en el *Quijote* (I, 32), da ejemplos de su enorme fuerza
física. La godeña Antonia compara la valentía de Lugo con las
hazañas del famoso extremeño.

[114] *Las del trato.* Las de la casa llana.

[115] *Bravato:* Bravo, valiente. Y las mujeres de la misma estofa
en *Rinconete y Cortadillo* subrayan la valentía de sus rufos. La Gananciosa: «Diestro mío» (lo era en el manejo de las armas). La Cariharta: «¡Vuelve acá, valentón del mundo y de mis ojos!» La
Escalanta: «Por un sevillano rufo a lo valón.»

LUGO

Mi señor suele a esta hora
de ordinario madrugar.
Mirad si lo dije bien;
hele aquí. Yo apostaré
que hay sermón do no pensé.   780
Acábese presto. Amén.

TELLO

¿De dónde venís, mancebo?

LUGO

¿De dó tengo de venir?

TELLO

De matar y de herir,
que esto para vos no es nuevo.   785

LUGO

A nadie hiero ni mato.

TELLO

Siete veces te he librado
de la cárcel.

LUGO

                    Ya es pasado
aquése, y tengo otro trato.

TELLO

Mas sé que hay de un mandamiento   790
para prenderte en la plaza.

LUGO

Sí; mas ninguna amenaza
a que dé coces al viento[116]:
que todas son liviandades
de mozo las que me culpan,   795
y a mí mismo me disculpan,
pues no llegan a maldades.
Ellas son cortar la cara
a un valentón arrogante,
una matraca picante,   800
aguda, graciosa y rara;
calcorrear[117] diez pasteles
a cajas de diacitrón[118];
sustanciar una cuestión
entre dos jaques noveles;   805
el tener en la dehesa[119]
dos vacas[120], y a veces tres,
pero sin el interés
que en el trato se profesa;
procurar que ningún rufo[121]   810
se entone do yo estuviere,
y que estime, sea quien fuere,
la suela de mi pantufo[122].

---

[116] *Dar coces al viento:* Morir en la horca. Comp. «danzar sin son» del gracioso Pedrisco en *El condenado por desconfiado*, atribuido a Tirso de Molina.

[117] *Calcorrear.* Germanía: correr. Aquí: hurtar. Quevedo, en el *Buscón*, califica de «travesuras» o «burlas» (cap. VI) de Pablo *correr* o *rebatar* cajas a un confitero, dar estocada a una o quitar de noche las espadas a la ronda. Y Lugo dice que hace por su «pasatiempo» estas y otras cosas. *La matraca*, junto con «espantos» y «alborotos», está incluida en «El memorial de agravios comunes» de Monipodio en *Rinconete y Cortadillo*.

[118] *Diacitrón:* Conserva de la cidra.

[119] *Dehesa:* Casa llana, mancebía.

[120] *Vaca* (también: *yegua*, v. 1.394): Mujer pública. Otros nombres: marca, coima. Las palabras el «interés» y el «trato» en los versos que siguen sugieren otros nombres: «tributarias» y «señoras del trato».

[121] *Rufo:* Rufián.

[122] *Pantufo:* Pantuflo, calzado.

Estas y otras cosas tales
hago por mi pasatiempo,   815
demás que rezo algún tiempo
los salmos penitenciales;
y, aunque peco de ordinario,
pienso, y de ello será así,
dar buena cuenta de mí   820
por las de aqueste rosario.

TELLO

Dime, simple: ¿y tú no ves
que de esa tu plata y cobre,
es dar en limosna al pobre
del puerco hurtado los pies?[123]   · 825
Haces a Dios mil ofensas,
como dices, de ordinario,
¿y, con rezar un rosario,
sin más, ir al cielo piensas?
Entra por un libro allí,   830
que está sobre aquella mesa.
Dime: ¿qué manera es ésa
de andar, que jamás la vi?
¿Hacia atrás? ¿Eres cangrejo?
Vuélvete. ¿Qué novedad   835
es ésa?

LUGO

Es curiosidad
y cortesano consejo
que no vuelva el buen criado
las espaldas al señor.

---

[123] *Del puerco hurtado, los pies.* Alusión al refrán «Hurtar el
puerco y dar los pies por Dios.» Siguiendo, parece, su propio
gusto y la corriente erasmista, Cervantes ensarta refranes en sus
obras. Véanse, también, vv. 1.098-99.

Tello

Crianza de tal temor, 840
en ninguno la he notado.
Vuelve, digo.

Lugo

Ya me vuelvo:
que por eso el paso atrás
daba.

Tello

En que eres Satanás
desde ahora me resuelvo. 845
¿Armado en casa? ¿Por suerte,
tienes en ella enemigos?
Sí tendrás, cual son testigos
los ministros de la muerte
que penden [124] de tu pretina, 850
y en ellos has confirmado
que el mozo descaminado,
como tú, hacia atrás camina.
¡Bien iré a la Nueva España
cargado de ti, malino [125]; 855
bien a hacer este camino
tu ingenio y virtud se amaña!
Si, en lugar de libros, llevas
estas joyas que veo aquí,
por cierto que das de ti 860
grandes e ingeniosas pruebas.
¡Bien responde la esperanza
en que engañado he vivido
al cuidado que he tenido
de tu estudio y tu crianza! 865

---

[124] *Penden, prenden* (Valb.).
[125] *Malino:* Maligno. Comp. «—¿Casada yo, malino? —respondió la Cariharta.» *(Rinconete y Cortadillo.)*

¡Bien me pagas, bien procuras
que tu humilde nacimiento
en ti cobre nuevo asiento,
menos bríos y venturas!
En balde será avisarte   870
por ejemplos que te den,
que nunca se avienen bien
Aristóteles y Marte,
y que está en los aranceles
de la discreción mejor   875
que no guardan un tenor
las súmulas[126] y broqueles.
Espera, que quiero darte
un testigo de quién eres,
si es que hacen las mujeres   880
alguna fe en esta parte.
Salid, señora, y hablad
a vuestro duro diamante,
honesto, pero matante,
valiente, pero rufián[127].   885

Sale ANTONIA

LUGO

Demonio, ¿quién te ha traído
aquí? ¿Por qué me persigues,
si ningún fruto consigues
de tu intento mal nacido?

Sale LAGARTIJA, *asustado*

TELLO

Mancebo, ¿qué buscáis vos?   890
¡Con sobresalto venís!
¿Qué respondéis? ¿Qué decís?

---

[126] *Súmulas:* Compendio de la lógica escolástica.
[127] *Rufián.* No aconsonanta con *hablad* para completar la re-
dondilla.

LAGARTIJA

Digo que me valga Dios;
digo que al so Lugo busco.

TELLO

Veisle ahí, dadle el recado.   895

LAGARTIJA

De cansado y de turbado,
en las palabras me ofusco.

LUGO

Sosiégate, Lagartija,
y dime lo que me quieres.

LAGARTIJA

Considerando quién eres,   900
mi alma se regocija
y espera de tu valor
que saldrás con cualquier cosa.

LUGO

Bien; ¿qué hay?

LAGARTIJA

        ¡A Carrascosa
le llevan preso, señor!   905

LUGO

¿Al padre?

LAGARTIJA

        Al mismo.

TELLO

¿Por dónde
le llevan? ¡Dímelo, acaba!

LAGARTIJA

Poquito habrá que llegaba
junto a la puerta del conde
del Castellar.

LUGO

¿Quién le lleva,   910
y por qué, si lo has sabido?

LAGARTIJA

Por pendencia, a lo que he oído;
y el alguacil Villanueva,
con dos corchetes, en peso
le llevan, como a un ladrón.   915
¡Quebrárate el corazón
si le vieras!

LUGO

¡Bueno es eso!
Camina y guía, y espera
buen suceso de este caso,
si los alcanza mi paso.   920

LAGARTIJA

¡Muera Villanueva!

LUGO

¡Muera!

Vanse LAGARTIJA *y* LUGO, *alborotados*

TELLO

¿Qué padre es éste? ¿Por dicha
llevan a algún fraile preso?

ANTONIA

No, señor, no es nada de eso:
que éste es padre de desdicha,   925
puesto que en su oficio gana
más de dos padres, y aun tres.

TELLO

Decidme de qué Orden es.

ANTONIA

De los de la casa llana[128].
Es alcaide, con perdón,   930
señor, de la mancebía,
a quien llaman *padre* hoy día
las de nuestra profesión;
su tenencia es casa llana
porque se allanan en ella   935
cuantas viven dentro de ella.

TELLO

Bien el nombre se profana
en eso de alcaide y padre,
nombres honrados y buenos.

ANTONIA

Quien vive en ella, a lo menos,   940
no estará sin padre y madre
jamás.

---

[128] *Casa llana:* Mancebía. Comp. «Al volver que volvió Monipodio, entraron con él dos mozas... cubiertas con medios mantos...,
llenas de desenfado y desvergüenza: señales claras por donde, en
viéndolas Rinconete y Cortadillo, conocieron que eran de la casa
llana, y no se engañaron en nada.» (*Rinconete y Cortadillo.*)

TELLO

Ahora bien: señora,
id con Dios, que a este mancebo
yo os le pondré como nuevo.

ANTONIA

Tras él voy.

TELLO

Id en buen hora.   945

Sale el ALGUACIL *que suele, con dos* CORCHETES, *que
traen preso a* CARRASCOSA, *padre de la mancebía*

PADRE

Soy de los Carrascosas de Antequera [129],
y tengo oficio honrado en la república,
y háseme de tratar de otra manera.
Solíanme hablar a mí por súplica,

---

[129] Subraya la señora Del Río el carácter paródico que proviene
del grotesco contraste de poner en boca «de rufianes y de alcaldes
semianalfabetos» el verso culto, y notando la misma afectación en
labios del padre de la mancebía, dice que es «más grotesca aún por
las ínfulas que del linaje y del oficio tiene el personaje a quien
llevan preso» (pág. 517; siguen vv. 916-53). «Al empaque cómico de
estos tercetos sigue la ligereza de las quintillas de Lugo, que tiene
prisa por poner en libertad al "padre" Carrascosa» (pág. 518).

F. Rodríguez Marín menciona el caso del *padre* Carrascosa al
hablar del oficio del *padre de la mancebía*, o *padre de las mujeres*.
«Hecho el nombramiento, y aprobado por la ciudad, el nuevo
padre o *madre* juraba, en manos del escribano del cabildo, guardar
las ordenanzas, y se daba el título de su honrado oficio, del cual
estaban muy *ufanos* y *orgullosos* los que lo servían. He aquí por
qué, llevando preso al padre Carrascosa en *El rufián dichoso*, él
protesta contra la violencia que se le hace, tan airadamente, que
se le sube la rima al tejado, a la par que el humo a las narices.»
(M. de Cervantes Saavedra: *Rinconete y Cortadillo*, ed. F. Rodríguez Marín, Sevilla, Real Academia Española, 1905, pág. 112.)

y es mal hecho y mal caso que se atreva   950
hacerme un alguacil afrenta pública.
Si a un personaje como yo se lleva
de aqueste modo, ¿qué hará a un mal
                              [hombre?
Por Dios, que anda muy mal, sor Villa-
                              [nueva;
mire que da ocasión a que se asombre   955
el que viere tratarme de esta suerte.

ALGUACIL

Calle, y la calle con más prisa escombre,
porque le irá mejor, si en ello advierte.

Sale a este instante LUGO, *puesta la mano en la daga
y el broquel; vienen con él* LAGARTIJA *y* LOBILLO

LUGO

Todo viviente se tenga,
y suelten a Carrascosa   960
para que conmigo venga,
y no se haga otra cosa,
aunque a su oficio convenga.
Ea, señor Villanueva,
dé de contentarme prueba,   965
como otras veces lo hace.

ALGUACIL

Señor Lugo, que me place.

CORCHETE

¡Juro a mí que se le lleva!

LUGO

Padre Carrascosa, vaya

y éntrese en San Salvador[130],   970
y a su temor ponga raya.

LAGARTIJA

Este Cid Campeador
mil años viva y bien haya.

ALGUACIL

Cristóbal, eche de ver
que no me quiero perder   975
y que le sirvo.

LUGO

    Está bien;
yo lo miraré muy bien
cuando fuere menester.

ALGUACIL

¡Agradézcalo al padrino,
señor padre!

LOBILLO

    No haya más,   980
y siga en paz su camino.

CORCHETE

¿Este mozo es Barrabás,
o es Orlando el Paladino?
¡No hay hacer baza con él!

Éntranse el ALGUACIL *y los* CORCHETES

---

[130] *Éntrese en San Salvador.* Para tomar asilo en esta iglesia en
Sevilla, situada en la plaza del mismo nombre.

Nuevo español bravonel[131],   985
con tus bravatas bizarras
me has librado de las garras
de aquel tacaño Luzbel.
Yo me voy a retraer,
por sí o por no. ¡Queda en paz,   990
honor de la hampa y ser!

LUGO

Dices bien, y aqueso haz,
que yo después te iré a ver.
¡Bien se ha negociado!

LOBILLO

                    Bien;
sin sangre, sin hierro o fuego.   995

LUGO

De cólera venía ciego
y enfadado.

LOBILLO

            Y yo también.
Vamos a cortarla aquí
con un polvo de lo caro.

LUGO

En otras cosas reparo   1000
que me importan más a mí.
Ir quiero ahora a jugar
con Gilberto[132], un estudiante

---

[131] *Bravonel:* Fanfarrón, valentón.

[132] *Gilberto*, después *Peralta*, son tipos de los estudiantes licen-
ciosos .y apicarados que mencionan los escritores (entremesistas,
etcétera) de la época.

que siempre ha sido mi azar[133],
hombre que ha de ser bastante   1005
a hacerme desesperar.
Cuanto tengo me ha ganado;
solamente me han quedado
unas súmulas, y a fe
que, si las pierdo, que sé   1010
cómo esquitarme al doblado.

LOBILLO

Yo te daré una baraja
hecha[134], con que le despojes
sin que le dejes alhaja.

LUGO

¡Largo medio es el que escoges!   1015
Otro sé por do se ataja.
Juro a Dios omnipotente
que, si las pierdo al presente,
me he de hacer salteador.

LOBILLO

¡Resolución de valor   1020
y traza de hombre prudente!
Si pierdes, ¡ojalá pierdas!,
yo mostraré en tu ejercicio
que estas manos no son lerdas.

LAGARTIJA

Siempre fue usado este oficio   1025
de personas que son cuerdas,
industriosas y valientes,
por los casos diferentes
que se ofrecen de contino.

---

[133] *Azar*. Aquí parece significar mala suerte.
[134] *Hecha:* Preparada de antemano para engañar.

LOBILLO

De seguirte determino.   1030

LAGARTIJA

Por tuyo es bien que me cuentes.
Ya ves que mi voluntad
es de alquimia, que se aplica
al bien como a la maldad.

LUGO

Esa verdad testifica   1035
tu fácil habilidad.
No te dejaré jamás,
y ¡adiós!

LOBILLO

Luego, ¿qué, te vas?

LUGO

Luego seré con vosotros.

LAGARTIJA

Pues, ¡sus!, vámonos nosotros   1040
a la ermita del Compás[135].

Éntranse todos, y salen PERALTA, *estudiante,*
y ANTONIA

ANTONIA

Si ha de ser hallarle acaso,
mis desdichas son mayores.

---

[135] *La ermita del Compás.* La mancebía situada en la parte
extrema de Sevilla. *El compás:* Espacio delante de la puerta.

PERALTA

¿Son celos, o son amores
los que aquí os guían el paso,   1045
señora Antonia?

ANTONIA

                    No sé,
si no es rabia, lo que sea.

PERALTA

Por cierto, muy mal se emplea
en tal sujeto tal fe.

ANTONIA

No hay parte tan escondida,   1050
do no se sepa mi historia.

PERALTA

Hácela a todos notoria
el veros andar perdida
buscando siempre a este hombre.

ANTONIA

¿Hombre? Si él lo fuera, fuera   1055
descanso mi angustia fiera.
Mas no tiene más del nombre;
conmigo, a lo menos.

PERALTA

                    ¿Cómo?

ANTONIA

Esto, sin duda, es así;
que amor le hirió para mí   1060

con las saetas de plomo.
No hay hielo que se le iguale.

PERALTA

¿Pues por qué le queréis tanto?

ANTONIA

Porque me alegro y me espanto
de lo que con hombres vale.   1065
¿Hay más que ver que le dan
parias los más arrogantes,
de la feria los matantes,
los bravos de San Román?[136]
¿Y hay más que vivir segura,   1070
la que fuere su respeto[137],
de verse en ningún aprieto
de los de nuestra soltura?
Quien tiene nombre de suya,
vive alegre y respetada;   1075

---

[136] *Feria...*, *San Román*. Barrios o parroquias en Sevilla. *La Feria* estaba situada en la parroquia de *Omnium Sanctorum*, en cuya iglesia fue bautizado y sepultado el clásico sevillano Rodrigo Fernández de Ribera, que escribió, entre otras obritas, las dos novelas cortas *Los anteojos de mejor vista* y *El mesón del mundo*, que pertenecen al género de *El diablo cojuelo*, de Vélez de Guevara. Véase R. Fernández de Ribera: *El mesón del mundo*, ed. E. Nagy, Nueva York, Las Américas, 1963, pág. 11.

[137] *Su respeto*. Según Sch. y B., marca (manceba) del rufián. Amparadas por sus favoritos rufianes, les daban (parte de) su ganancia. De aquí, la Gananciosa. Es un arreglo u «oficio» que ellas desempeñaban. Comp. «—Sosiégate, Cariharta —dijo a esta sazón Monipodio—, que aquí estoy yo, que te haré justicia... Dime si has habido algo con tu *respeto*... —¿Qué respeto? —respondió Juliana (la Cariharta)—. Respectada me vea yo en los infiernos si más lo fuere de aquel león con las ovejas y cordero con los hombres.» Se refiere al ingrato de Repolido, por quien ha sido maltratada. El *respeto* equivale aquí al *protector*, según la nota a la Ed. Juventud de *Novelas ejemplares* (Barcelona, 1958, t. I, página 157).

a razón enamorada,
no hay ninguna que la[138] arguya.

Vase ANTONIA

PERALTA

Estas señoras del trato[139]
precian más, en conclusión,
un socarra valentón,   1080
que un Medoro gallinato[140].
En efecto, gran lisión[141]
es la de esta moza loca.
Ya la campanilla toca;
entrémonos a lición.   1085

Entra PERALTA, *y salen* GILBERTO, *estudiante*, y LUGO

GILBERTO

Ya irás contento, y ya puedes
dejar de gruñir un rato,
y ya puedes dar barato
tal, que parezcan mercedes.
Más me has ganado este día,   1090
que yo en ciento te he ganado.

LUGO

Así es verdad.

GILBERTO

. Que buen grado
le venga a mi cortesía.

---

138 *La, le* (Valb.).
139 *Señora del trato:* Mujer pública, como «las del trato»
(nota 114).
140 *Medoro gallinato:* Cobarde, «gallina».
141 *Lisión:* Lesión*

¿Yo tus súmulas? ¡Estaba
loco, sin duda ninguna!   1095

LUGO

Sucesos son de fortuna.

GILBERTO

Yo ya los adivinaba;
porque al tahúr no le dura
mucho tiempo el alegría [142],
y el que de naipes se fía,   1100
tiene al quitar [143] la ventura.
Hoy de cualquier [144] cuestión
has de salir victorioso;
y ¡adiós, señor gananciosos!,
que yo me vuelvo a lición.   1105

Éntrase GILBERTO, *y sale el* MARIDO *de la* MUJER
que salió primero

MARIDO

Señor Lugo, a gran ventura
tengo este encuentro.

LUGO

                  Señor,
¿qué hay de nuevo?

MARIDO

                  Aquel temor
de ser ofendido aún dura.
Tengo a mi consorte amada   1110

---

[142] «En casa del tahúr poco dura la alegría.» *(Correas.)*
[143] *Quitar:* Inestable.
[144] *Cualquier* (Valb.); *cualquiera* (Sch. y B.) y BAE.

retirada en una aldea,
y para que el sol la vea,
apenas halla la entrada.
Con aquel recato vivo
que me mandasteis tener,   1115
y muérome por saber
de quién tanto mal recibo.

LUGO

Ya aquel que pudo poneros
en cuidado está de suerte
que llegará al de la muerte,   1120
y no al punto de ofenderos.
Quitad con este seguro
el celoso ansiado pecho.

MARIDO

Con eso voy satisfecho,
y de servíroslo juro.   1125
Hacer podéis de mi hacienda,
Lugo, a vuestra voluntad.

LUGO

Pasó mi necesidad,
no hay ninguna que me ofenda;
y así, sólo en recompensa   1130
recibo vuestro deseo.

MARIDO

No aquel estilo en vos veo
que el vulgo engañado piensa.
¡Adiós, señor Lugo!

Vase.

LUGO

¡Adiós!

Entra LAGARTIJA

Pues, Lagartija, ¿a qué vienes?   1135

LAGARTIJA

¡Qué gentil remanso tienes!
¿No ves que dará las dos,
                          (Reza Lugo.)
y te estará esperando toda [145]
la chirinola [146] hampesca?
Ven, que la tarde hace fresca   1140
y a los tragos se acomoda.
¿Cuando te están esperando
tus amigos con más gusto,
andas, cual si fueras justo,
avemarías tragando? [147]   1145
O sé rufián, o sé santo;
mira lo que más te agrada.
Voime, porque ya me enfada
tanta *Gloria*, y *Patri* tanto.

Vase LAGARTIJA

LUGO

Solo quedo, y quiero entrar   1150
en cuentas conmigo a solas,
aunque lo impidan las olas
donde temo naufragar.
Yo hice voto, si hoy perdía,
de irme a ser salteador: 1155
claro y manifiesto error
de una ciega fantasía.
Locura y atrevimiento

---

[145] *Toda* (Valb.); *toda(vía)* (Sch. y B.) y BAE.
[146] *Chinola hampesca:* Junta de la gente del hampa.
[147] *Tragando:* Gran rezador.

99

fue el peor que se pensó,
puesto que nunca obligó 1160
mal voto a su cumplimiento.
Pero ¿dejaré por esto
de haber hecho una maldad,
adonde mi voluntad
echó de codicia el resto? 1165
No, por cierto. Mas, pues sé
que contrario con contrario
se cura muy de ordinario[148],
contrario voto haré,
y así, le hago de ser 1170
religioso. Ea, Señor;
veis aquí a este salteador
de contrario parecer.
Virgen, que Madre de Dios
fuiste por los pecadores; 1175
ya os llaman salteadores;
oídlos, Señora, vos.
Ángel de mi guarda, ahora
es menester que acudáis,
y el temor fortalezcáis 1180
que en mi alma amarga mora.
Ánimas de purgatorio[149],
de quien continua memoria
he tenido, séaos notoria
mi angustia, y mi mal notorio; 1185
y pues que la caridad
entre esas llamas no os deja,
pedid a Dios que su oreja
preste a mi necesidad.
Salmos de David benditos, 1190
cuyos misterios son tantos,
que sobreceden a cuantos
renglones tenéis escritos;

---

[148] *Muy de ordinario, muy ordinario* (Valb.).
[149] *Del purgatorio, de purgatorio* (Sch. y B.) y BAE.

vuestros conceptos me animen,
que he advertido veces tantas,   1195
a que yo ponga mis plantas
donde al alma no lastimen;
no en los montes salteando
con mal cristiano decoro,
sino en los claustros y el coro   1200
desnudas, y yo rezando.
¡Ea, demonios; por mil modos
a todos os desafío,
y en mi Dios bueno confío
que os he de vencer a todos!   1205

Éntrase, y suenan a este instante las chirimías; descú-
brese una Gloria, o, por lo menos, un ÁNGEL, *que, en*
cesando la música, diga:

«Cuando un pecador se vuelve
a Dios con humilde celo,
se hacen fiestas en el cielo»[150].

---

[150] «Por la naturaleza de *El rufián dichoso*, que se va a tornar en
comedia de santos en los actos II y III, el acto I termina de un modo
especial: Lugo desafía a los demonios, e ido de la escena, se oyen
chirimías y tres versos recitados por un ángel.» (Amelia del Río,
página 516.)

Jornada segunda

Salen dos figuras de ninfas vestidas bizarramente, .cada una con su tarjeta en el brazo: en la una viene escrito «Curiosidad»; en la otra, «Comedia»

CURIOSIDAD

Comedia.

COMEDIA

    Curiosidad,
¿qué me quieres?

CURIOSIDAD

            Informarme   1210
qué es la causa por que dejas
de usar tan antiguos trajes,
del coturno en las tragedias,
del zueco [151] en las manuales
comedias, y de la toga   1215
en las que son principales;
cómo has reducido a tres
los cinco actos que sabes
que un tiempo te componían
ilustre, risueña y grave;   1220
ahora aquí representas,
y al mismo momento en Flandes;

---

[151] *Zueco.* El texto: *cueco. Las.* El texto: *los.*

truecas sin discurso alguno
tiempos, teatros, lugares.
Véote, y no te conozco.   1225
Dame de ti nuevas tales
que te vuelva a conocer,
pues que soy tu amiga [152] grande.

COMEDIA

Los tiempos mudan las cosas
y perfeccionan las artes,   1230
y añadir a lo inventado
no es dificultad notable.
Buena fui pasados tiempos,
y en éstos, si los mirares,
no soy mala, aunque desdigo   1235
de aquellos preceptos graves
que me dieron y dejaron
en sus obras admirables
Séneca, Terencio y Plauto,
y otros griegos [153] que tú sabes.   1240
He dejado parte de ellos,
y he también guardado parte,
porque lo quiere así el uso,
que no se sujeta al arte.
Ya represento mil cosas,   1245
no en relación, como de antes,
sino en hecho, y así es fuerza
que haya de mudar lugares;
que como acontecen ellas
en muy diferentes partes,   1250
voime allí donde acontecen,
disculpa del disparate.
Ya la comedia es un mapa
donde no un dedo distante
verás a Londres y a Roma,   1255

---

[152] *Amiga.* El texto: *amigo.*
[153] *Griegos.* Así el texto.

a Valladolid y a Gante.
Muy poco importa al oyente
que yo en un punto me pase
desde Alemania a Guinea
sin del teatro mudarme;   1260
el pensamiento es ligero:
bien pueden acompañarme
con él doquiera que fuere,
sin perderme ni cansarme.
Yo estaba ahora en Sevilla,   1265
representando con arte
la vida de un joven loco,
apasionado de Marte,
rufián en manos y lengua,
pero no que se enfrascase   1270
en admitir de perdidas
el trato y ganancia infame.
Fue estudiante y rezador
de salmos penitenciales,
y el rosario ningún día   1275
se le pasó sin rezarle.
Su conversión fue en Toledo,
y no será bien te enfade
que, contando la verdad,
en Sevilla se relate.   1280
En Toledo se hizo clérigo,
y aquí, en México, fue fraile,
adonde el discurso ahora
nos trajo aquí por el aire.
El sobrenombre de Lugo   1285
mudo en Cruz, y es bien se llame
fray Cristóbal de la Cruz
desde este punto adelante.
A México y a Sevilla
he juntado en un instante,   1290
zurciendo con la primera
ésta y la tercera parte:
una de su vida libre,

otra de su vida grave,
otra de su santa muerte   1295
y de sus milagros grandes.
Mal pudiera yo traer,
a estar atenida al arte,
tanto oyente por las ventas
y por tanto mar sin naves.   1300
Da lugar, Curiosidad,
que el bendito fraile sale
con fray Antonio, un corista
bueno, pero con donaires.
Fue en el siglo Lagartija,   1305
y en la religión es sacre,
de cuyo vuelo se espera
que ha de dar al cielo alcance.

CURIOSIDAD

Aunque no lo quedo en todo,
quedo satisfecha en parte,   1310
amiga; por esto quiero,
sin replicarte, escucharte.

Éntranse. Salen FRAY CRISTÓBAL *en hábito de Santo Domingo, y* FRAY ANTONIO *también*

FRAY ANTONIO

Sepa su paternidad...

CRUZ

Entone más bajo el punto
de cortesía.

FRAY ANTONIO

          En verdad,   1315
padre mío, que barrunto
que tiene su caridad

de bronce el cuerpo, y de suerte,
que tarde ha de hallar la muerte
entrada para acabarle,   1320
según da en ejercitarle
en rigor áspero y fuerte.

CRUZ

Es bestia la carne nuestra,
y, si rienda se le da,
tan desbocada se muestra,   1325
que nadie la volverá
de la siniestra a la diestra.
Obra por nuestros sentidos
nuestra alma: así están tapidos[154]
y no sutiles; es fuerza   1330
que a la carrera se tuerza
por donde van los perdidos.
La lujuria está en el vino,
y a la crápula y regalo
todo vicio le es vecino.   1335

FRAY ANTONIO

Yo, en ayunando, estoy malo,
flojo, indevoto y mohíno.
De un otro talle y manera
me hallaba yo cuando era
en Sevilla tu mandil[155];   1340
que hacen ingenio sutil
las blancas roscas de Utrera.

---

[154] *Tapidos.* Así el texto. Otras ediciones (y Valb.) traen «tupidos». Según el *Diccionario Académico*, *tapido* «dícese de la tela
tupida o apretada»; pero, como se ve, Cervantes aplica la palabra
al sentido, tomándola en el contrario de «sutil» (delicado, tenue),
o sea en el de «grosero, basto». (Sch. y B.)
Tapidos, tupidos (Valb.).
[155] *Mandil:* Criado de rufián o de marca. (Germanía.)

¡Oh uvas albarazadas[156],
que en el pago de Triana
por la noche sois cortadas,   1345
y os halláis a la mañana
tan frescas y aljofaradas,
que no hay cosa más hermosa,
ni fruta que a la golosa
voluntad así despierte! [157]   1350
¡No espero verme en la suerte
que ya se pasó dichosa!

CRUZ

Cierto, fray Antonio amigo,
que esa consideración
es lazo que el enemigo   1355
le pone a su perdición.
Esté atento a lo que digo.

FRAY ANTONIO

Consideraba yo ahora
dónde estará la señora
Librija, o la Salmerona,   1360
cada cual, por su persona,
buena para pecadora.
¡Quién supiera de Ganchoso,
del Lobillo y de Terciado, ,
y del Patojo famoso!   1365
¡Oh feliz siglo dorado,
tiempo alegre y venturoso,
adonde la libertad
brindada a la voluntad
del gusto más exquisito!   1370

---

[156] *Uva albarazada.* «Variedad de uva que tiene el hollejo jas-
peado.» *(Dicc. Acad.)* Es decir, la piel diversamente coloreada
como el jaspe.
[157] *Despierte.* El texto: *despierta.*

CRUZ

¡Calle; de Dios sea bendito!

FRAY ANTONIO

Calle su paternidad
y déjeme, que con esto
evacuo un pésimo humor
que me es amargo y molesto.   1375

CRUZ

Cierto que tengo temor,
por verle tan descompuesto,
que ha de apostatar un día,
que para los dos sería
noche de luto cubierta.   1380

FRAY ANTONIO

No saldrá por esa puerta
jamás mi melancolía[158];
no me he de extender a más
que a quejarme y a sentir
el ausencia del Compás.   1385

CRUZ

¡Qué tal te dejas decir,
fray Antonio! Loco estás;
que en el juïcio empeora
quien tal acuerdo atesora
en su memoria vilmente.   1390

FRAY ANTONIO

Rufián corriente y moliente
fuera yo en Sevilla ahora,

---

[158] *Melancolía, melencolia* (Sch. y B.) y BAE.

y tuviera en la dehesá
dos yeguas[159], y aun quizá tres,
diestras en el arte aviesa.   1395

CRUZ

De que en esas cosas des,
sabe Dios lo que me pesa;
mas yo haré la penitencia
de tu rasgada conciencia.
Quédate, Antonio, y advierte[160]   1400
que de la vida a la muerte
hay muy poca diferencia:
quien vive bien, muere bien;
quien mal vive, muere mal.

FRAY ANTONIO

Digo, padre, que está bien;   1405
pero no has de hacer caudal
de mí, ni enfado te den
mis palabras, que no son
nacidas del corazón,
que en sola la lengua yacen.   1410

CRUZ

Dan las palabras y hacen
fe de cuál es la intención.

E[n]tra un corista llamado FRAY ANGEL; *señálese con
sola la A*

A

Padre maestro, el prior
llama a vuestra reverencia,
y espera en el corredor.   1415

_____

[159] *Dos yeguas.* El sentido dado en la nota 120.
[160] *Advierte.* El texto: *aduieere.* ˙ ·

Vase luego el PADRE CRUZ

FRAY ANTONIO

Más presto es a la obediencia
que el sol a dar resplandor.
Padre fray Ángel, espere.

A

Diga presto qué me quiere.

(Enséñale hasta una docena de naipes.)

FRAY ANTONIO

Mire.

A

¿Naipes? ¡Perdición!   1420

FRAY ANTONIO

No se admire, hipocritón,
que el caso no lo requiere.

A

¿Quién te los dio, fray Antonio?

FRAY ANTONIO

Una devota que tengo.

A

¿Devota? ¡Será el demonio!   1425

FRAY ANTONIO

Nunca con el bien me avengo;
levántasle testimonio.

A

¿Están justos?[161]

FRAY ANTONIO

Pecadores[162]
creo que están los señores,
pues para cumplir cuarenta,   1430
entiendo faltan los treinta.

A

Si fueran algo mejores,
buscáramos un rincón
donde podernos holgar.

FRAY ANTONIO

Y halláramosle a sazón: 1435
que nunca suele faltar
para hacer mal ocasión.
¡Bien hayan los gariteros[163]
magníficos y groseros,
que con un ánimo franco   1440
tienen patente el tabanco
para blancos y fulleros![164]
Vamos de aquí, que el prior
viene allí con el señor
que lo fue de nu[e]stro Cruz,   1445
gran caballero andaluz,
letrado y visitador.

---

[161] *Justos*. El texto: *juntos*.
[162] *Pecadores*. Juega aquí Cervantes con el vocablo, llamando
a los naipes *pecadores*, por oposición a *justos*; esto es, calificándolos
de falsos o incompletos. (Hazañas.)
[163] *Gariteros*: Dueños de *garito* o casa de juego o *tabanco*.
[164] *Blancos y fulleros*: Jugadores inocentes y los que conocen
y hacen fullerías, trampas, en el juego. Véase la nota 53.

PRIOR

El es un ángel en la tierra, cierto,
y vive entre nosotros de manera,
como en las soledades del desierto;   1450
no desmaya ni afloja en la carrera
del cielo, adonde, por llegar más presto,
corre desnudo y pobre, a la ligera,
humilde sobre modo, y tan honesto,
que admira a quien le ve en edad florida   1455
tan recatado en todo y tan compuesto.
En efecto, señor: él hace vida
de quien puede esperar muerte dichosa
y gloria que no puede ser medida.
Su oración es continua y fervorosa,   1460
su ayuno inimitable, y su obediencia
presta, sencilla, humilde y hacendosa.
Resucitado ha en la penitencia
de los antiguos padres, que en Egito
en ella acrisolaron la conciencia.   1465

TELLO

Por millares de lenguas sea bendito
el nombre de mi Dios; a este mancebo
volvió de do pensé que iba [165] precito.
Vuélvome a España, y en el alma llevo
tan grande soledad de su persona,   1470
que quiero exagerarla, y no me atrevo.

PRIOR

Vuesa merced nos deja una corona
que ha de honrar este reino mientras ciña

---

[165] *Iba, era* (Valb.).

el cerco azul el hijo de la Zona[166].
Está entre aquestos bárbaros aún niña   1475
la fe cristiana, y faltan los obreros
que cultiven aquí de Dios la viña,
y la leche mejor, y los aceros,
que a entrambas les hará mayor provecho.
Es ejemplo de [e]stos jornaleros,   1480
que es menester que tenga sano el pecho
el médico que cura a lo divino,
para dejar el cielo satisfecho.

Salen el PADRE CRUZ *y* FRAY ANTONIO

Aquesta compostura de contino
trae nuestro padre Cruz, tan mansa y grave,   1485
que alegre y triste sigue su camino:
que en él lo triste con lo alegre cabe.

CRUZ

Deo gracias.

PRIOR

                    Por siempre, amén,
éstas y todas naciones
con viva fe se las den.   1490

CRUZ

Suplícote me perdones,
señor, si no he andado bien,
faltando a la cortesía
que a tu presencia debía.

TELLO

Padre fray Cristóbal mío,   1495
esto toca en desvarío,

_____
[166] *El hijo de la Zona.* Así el texto. Sch. y B. anotan que debe
de ser errata por «hijo de Latona». (Apolo era hijo de Júpiter
y Latona.)

porque toca en demasía;
yo soy el que he de postrarme
a sus pies.

CRUZ

Por el oficio
que tengo, puedo excusarme   1500
de haber dado poco indicio
de cortés en no humillarme,
y más a quien debo tanto,
que, a poder decir el cuánto,
fuera poco.

TELLO

Yo confieso   1505
que quedo deudor en eso.

PRIOR

Bien cuadra cortés y santo.

TELLO

A España parto mañana;
si me manda alguna cosa,
haréla de buena gana.   1510

CRUZ

Tu jornada sea dichosa:
viento en popa y la mar llana.
Yo, mis pobres oraciones
a las celestes regiones
enviaré por tu camino,   1515
puesto, señor, que imagino
ue en recio tiempo te pones
a navegar.

La derrota
está de fuerza que siga
de la ya aprestada flota.   1520

CRUZ

Ni el huracán te persiga,
ni toques en la derrota
Bermuda[167], ni en la Florida,
de mil cuerpos homicida,
adonde, contra natura,   1525
es el cuerpo sepultura
viva del cuerpo sin vida[168].
A Cádiz, como deseas,
llegues sano, y en Sanlúcar[169]
desembarques tus preseas,   1530
y, en virtudes hecho un Fúcar[170],
presto en Sevilla te veas,
donde a mi padre dirás
lo que quisieres, y harás
por él lo que mereciere.   1535

TELLO

Haré lo que me pidiere,
y si es poco, haré yo más.
Y ahora, por paga, pido
de aquella buena intención
que en su crianza he tenido,   1540
padre, que su bendición

---

[167] *Bermuda*. Los navegantes temían las costas de la Florida
y de Bermuda, conocidas por sus tempestades y ataques de corsarios
ingleses.

[168] *Cuerpo sin vida*. Alusión a la supuesta antropofagia de los
indios de Tierra Firme. (Sch. y B.)

[169] *Sanlúcar*. Puerto a la entrada del Guadalquivir.

[170] *Fúcar*. La riqueza enorme de los Fúcar. Fig., hombre muy
rico.

me deje aquí enriquecido
de esperanzas, con que pueda
esperar que me suceda
el viaje tan a cuento,   1545
que sople propicio el viento,
y la fortuna[171] esté queda.

CRUZ

La de Dios encierre en ésta
tanta ventura, que sea
la jornada alegre y presta,   1550
sin que en tormenta se vea,
ni en la calma que molesta.

FRAY ANTONIO

Si viere allá a la persona...

TELLO

¿De quién?

FRAY ANTONIO

De la Salmerona,
encájele un besapiés   1555
de mi parte, y dos o tres
buces[172], a modo de mona.

PRIOR

Fray Antonio, ¿cómo es esto?
¿Cómo delante de mí
se muestra tan descompuesto?   1560

---

171 *Fortuna.* Aquí, tempestad.
172 *Buces, buz:* Beso de reverencia. Covarrubias *(Tesoro)* dice
«que la mona hace el *buz,* tomando la mano y besándola con
mucho tiento... y luego ponerla sobre la cabeza.» (Hazañas.)

FRAY ANTONIO

Ocurrióseme esto aquí,
y vase el señor tan presto,
que temí que me faltara
lugar do le encomendara
estos y otros besamanos: 1565
que poder ser cortesanos
los frailes, es cosa clara.

PRIOR

¡Calle, y a vernos después!

TELLO

Por cierto, que no merece
castigo por ser cortés.   1570

PRIOR

Cierta enfermedad padece
en la lengua.

FRAY ANTONIO

            Ello así es;
pero nunca hablo cosa
que toque en escandalosa;
que hablo a la vizcaína[173].   1575

PRIOR

Yo hablaré a la disciplina,
lengua breve y compendiosa.

TELLO

Déme su paternidad
licencia, y aqueste enojo
no toque en riguridad.   1580

---

[173] *Hablar a la vizcaína.* Hablar mal el castellano, especialmente en cuanto a la sintaxis.

FRAY ANTONIO

Si conociera al Patojo,
hiciérame caridad
de saludarle también
de mi parte. Aunque me den
disciplina porque calle,   1585
no puedo no encomendalle
aquello que me está bien.

PRIOR

Vuesa merced vaya en paz,
que a cólera no me mueve
plática que da solaz,   1590
y éste, por mozo, se atreve,
y él de suyo sé es locuaz;
y sean estos abrazos
muestra de los santos lazos
con que caridad nos liga.   1595

(Abraza a los dos.)

TELLO

Mi amor, padre Cruz, le obliga
a que apriete más los brazos,
y veisme que me enternezco.

CRUZ

Dios te guíe, señor mío,
que a su protección te ofrezco.   1600

TELLO

Que me dará yo confío,
por vos, más bien que merezco.

Vase TELLO

PRIOR

Venga, fray Antonio, venga.

CRUZ

Déjele que se detenga
conmigo, padre, aquí un poco.   1605

PRIOR

En buen hora; y, si está loco,
haga como seso tenga.

Vase el PRIOR

CRUZ

¿Qué es posible, fray Antonio,
que ha de caer en tal mengua,
que consienta que su lengua   1610
se la gobierne el demonio?
Cierto que pone mancilla
ver que el demonio maldito
le trae las ollas de Egito
en lo que dejó en Sevilla.   1615
De las cosas ya pasadas,
mal hechas, se ha de acordar,
no para se deleitar,
sino para ser lloradas;
de aquella gente perdida   1620
no debe acordarse más,
ni del Compás, si hay compás
do se vive sin medida.
Sólo dé gracias a Dios,
que, por su santa clemencia,   1625
nos dio de la penitencia
la estrecha tabla a los dos,
para que, de la tormenta
y naufragar casi cierto,

de la religión el puerto   1630
tocásemos sin afrenta.

FRAY ANTONIO

Yo miraré lo que hablo
de aquí adelante más cuerdo,
pues conozco lo que pierdo,
y sé lo que gana[174] el diablo.   1635
Ruéguele, padre, al prior
que en su furia se mitigue,
y no al peso me castigue
de mi descuidado error.

CRUZ

Vamos, que yo le daré   1640
bastantísima disculpa
de su yerro, y por su culpa
y las mías rezaré.

Éntranse todos. Sale una dama llamada DOÑA ANA
TREVIÑO, *un* MÉDICO *y dos* CRIADOS. *Todo esto es
verdad de la historia*

MÉDICO

Vuesa merced sepa cierto
que aquesta su enfermedad   1645
es de muy ruin calidad;
hablo en ella como experto.
Mi oficio obliga a decillo,
cause o no cause pasión:
que, entre razón y razón,   1650
pondrá la Parca el cuchillo.
Hablando se ha de quedar
muerta; y aquesto le digo
como médico y amigo
que no la quiere engañar.   1655

---

[174] *Lo que gana, que lo gana* (Valb.).

Doña Ana

Pues a mí no me parece
que estoy tan mala. ¿Qué es esto?
¿Cómo se anuncia tan presto
la muerte?

Médico

        El pulso me ofrece,   1660
los ojos y la color,
esta verdad a la clara.

Doña Ana

En los ojos de mi cara
suele mirarse el amor.

Médico

Vuesa merced se confiese,
y quédense aparte burlas.   1665

Criado 1.º

Señor, si es que no te burlas,
recio mandamiento es ése.

Médico

No me suelo yo burlar
en casos de este jaez.

Doña Ana

Podrá su merce[d] esta vez,   1670
si quisiere, perdonar,
que, ni quiero confesarme,
ni hacer cosa que me diga.

MÉDICO

A más mi oficio me obliga,
y adiós.

DOÑA ANA

Él querrá ayudarme.   1675

Vase el MÉDICO

Pesado médico y necio,
siempre cansa y amohína.

CRIADO 2.º

Crió Dios la medicina,
y hase de tener en precio.

DOÑA ANA

La medicina yo alabo,   1680
pero los médicos no,
porque ninguno llegó
con lo que es la ciencia al cabo.
Algo fatigada estoy.

CRIADO 1.º

Procura desenfadarte,   1685
esparcirte y alegrarte.

DOÑA ANA

Al campo pienso de ir hoy.
Parece que están templando
una guitarra allí fuera.

CRIADO 1.º

¿Será Ambrosio?

DOÑA ANA

Sea quienquiera,   1690
escuchad, que va cantando.

(Cantan dentro.)

«Muerte y vida me dan pena;
no sé qué remedio escoja:
que, si la vida me enoja,
tampoco la muerte es buena.»   1695

Con todo, es mejor vivir:
que, en los casos desiguales,
el mayor mal de los males
se sabe que es el morir.
Calle el que canta, que atierra   1700
oír tratar de la muerte:
que no hay tesoro de suerte
en tal espacio de tierra.
La muerte y la mocedad
hacen dura compañía,   1705
como la noche y el día,
la salud y enfermedad,
y edad poca y maldad mucha,
y voz de muerte a deshora;
¡ay del alma pecadora   1710
que impenitente la escucha!

CRIADO 1.º

No me contenta mi ama;
nunca la he visto peor;
fuego es ya, no es resplandor,
el que su vista derrama.   1715

Éntranse todos. Sale el PADRE FRAY ANTONIO

FRAY ANTONIO

Mientras el fraile no llega
a ser sacerdote, pasa

vida pobre, estrecha, escasa,
de quien a veces reniega.
Tiene allá el predicador   1720
sus devotas y sus botas[175],
y el presentado echa gotas
y suda con el prior;
mas el novicio y corista
en el coro y en la escoba   1725
sus apetitos adoba,
diciendo con el Salmista:
Et potum meum cum fletu miscebam[176].
Pero bien será callar,
pues sé que muchos convienen
en que las paredes tienen   1730
oídos para escuchar[177].
La celda del padre Cruz
está abierta, ciertamente;
ver quiero este penitente,
que está a oscuras y es de luz[178].   1735

Abre la celda; aparece el PADRE CRUZ *arrobado,
hincado de rodillas, con un crucifijo en la mano*

¡Mirad qué postura aquella
del bravo rufián divino,
y si hallará camino

---

[175] *Devotas... botas. Bota*, cuero para guardar el vino. Borracho.
Comp. «Eran los votos hijos de votas, y como las madres debían
haber sido tantas —y quizá tintas—, eran los hijos infinitos.»
(Rodrigo Fernández de Ribera: *El mesón del mundo*, ed. E. Nagy,
Nueva York, Las Américas, 1963, pág. 129.) Nótese el juego de
palabras del satírico y conceptista sevillano: «hijos de votas —*de
botas*—; tantas —*tintas*—».
[176] *Et potum.* Salmo CI, v. 10: «Porque comía la ceniza como
pan, y mezclaba mi bebida con el llanto.» Esta y otras traducciones
vienen de Sch. y B.
[177] «Las paredes han oídos y los montes ojos.» *(Correas.) Las
paredes oyen* es el título de la famosa comedia de Ruiz de Alarcón.
[178] *A escuras y es de luz.* Véase la nota 17.

Satanás para rompella!
Arrobado está, y es cierto   1740
que, en tanto que él está así,
los sentidos tiene en sí
tan muertos como de un muerto.

(Suenan desde lejos guitarras y
sonajas, y vocería de regocijo. Todo
esto de esta máscara y visión fue ver-
dad que así lo cuenta la historia del
santo.)

Pero ¿qué música es ésta?[179]
¿Qué guitarras y sonajas?   1745
¿Pues los frailes se hacen rajas?[180]
¿Mañana es alguna fiesta?
Aunque música a tal hora,
no es decente en el convento.
Miedo de escucharla siento.   1750
¡Válgame nuestra Señora!

(Suena más cerca.)

¡Padre nuestro, despierte,
que se hunde el mundo todo
de música! No hallo modo
bueno alguno con que acierte.   1755
La música no es divina,
porque, según voy notando,
al modo vienen cantando
rufo y de jacarandina.

___

[179] Comp.

«*(Suenan guitarras.)*

—*Pero ¿qué música es ésta?*
—*Los comediantes serán,*
que adonde se visten van.»

(Pedro de Urdemalas, jorn. III.)

[180] *Hacerse rajas:* Hacerse pedazos, romper el vestido.

Entran a este instante seis con sus máscaras, vestidas
como ninfas lascivamente, y los que han de cantar
y tañer, con máscaras de demonios vestidos a lo antiguo,
y hacen su danza. Todo esto fue así, que no es visión
supuesta, apócrifa ni mentirosa. Cantan:

«No hay cosa que sea gustosa,   1760
sin Venus blanda amorosa.
No hay comida que así agrade,
ni que sea tan sabrosa,
como la que guisa Venus,
en todos gustos curiosa.   1765
Ella el verde amargo jugo
de la amarga hiel sazona,
y de los más tristes tiempos
vuelve más dulces las horas;
quien con ella trata, ríe,   1770
y quien no la trata, llora.
Pasa cual sombra en la vida,
sin dejar de sí memoria,
ni se eterniza en los hijos,
y es como el árbol sin hojas,   1775
sin flor ni fruto, que el suelo
con ninguna cosa adorna.
Y por esto, en cuanto el sol
ciñe y el ancho mar moja,
no hay cosa que sea gustosa   1780
sin Venus blanda, amorosa.»

(El padre Cruz, sin abrir los ojos, dice:)

CRUZ

No hay cosa que sea gustosa
sin la dura cruz preciosa.
Si por esta senda estrecha
que la cruz señala y forma   1785
no pone el pie el que camina

a la patria venturosa,
cuando menos lo pensare,
de improviso y a deshora,
caerá de un despeñadero   1790
del abismo en las mazmorras.
Torpeza y honestidad
nunca las manos se toman,
ni pueden caminar juntas
por esta senda fragosa.   1795
Y yo [sé] que en todo el cielo,
ni en la tierra, aunque espaciosa,
no hay cosa que sea gustosa
sin la dura cruz preciosa.

MÚSICOS

«¡Dulces días, dulces ratos   1800
los [181] que en Sevilla se gozan,
y dulces comodidades
de aquella ciudad famosa,
do la libertad campea,
y en sucinta y amorosa   1805
manera Venus camina
y a todos se ofrece toda,
y risueño el amor canta
con mil pasajes de gloria:
«No hay cosa que sea gustosa,   1810
sin Venus blanda, amorosa.»

CRUZ

Vade retro! [182], Sa[ta]nás,
que para mi gusto ahora
no hay cosa que sea gustosa
sin la dura cruz preciosa.   1815

Vanse los DEMONIOS *gritando*

---

[181] *Los.* El texto: *las.*
[182] *Vade retro:* Retírate.

FRAY ANTONIO

Hacerme quiero mil cruces;
he visto lo que aún no creo.
Afuera el temor, pues veo
que viene gente con luces.

CRUZ

¿Qué hace aquí, fray Antonio?   1820

FRAY ANTONIO

Estaba mirando atento
una danza de quien siento
que la guiaba el demonio.

CRUZ

Debía de estar durmiendo,
y soñaba.

FRAY ANTONIO

No, a fe mía;   1825
padre Cruz, yo no dormía.

Entran a este punto dos CIUDADANOS, *con sus linternas,
y el* PRIOR

CIUDADANO 1.º

Señor, como voy diciendo,
pone gran lástima oírla:
que no hay razón de provecho
para enternecerle el pecho   1830
ni de su error divertirla;
y pues habemos venido
a tal hora a este convento
por remedio, es argumento
que es el daño muy crecido.   1835

PRIOR

Que diga que Dios no puede
perdonarla, caso extraño;
es ése el mayor engaño
que al pecador le sucede.
Fray Cristóbal de la Cruz   1840
está en pie; quizá adivino
que ha de hacer este camino,
y en él dar a este alma luz.
Padre, su paternidad
con estos señores vaya,   1845
y cuanto pueda la raya
suba de su caridad,
que anda muy listo el demonio
con un alma pecadora.
Vaya con el padre.

FRAY ANTONIO
          ¿Ahora?   1850

PRIOR
No replique, fray Antonio.

FRAY ANTONIO

Vamos, que a mí se me alcanza
poco o nada, o me imagino
que he de ver en el camino
la no fantástica danza   1855
de denantes.

CRUZ
          Calle un poco,
si puede.

— 9

CIUDADANO 2.º

Señor, tardamos,
y será bien que nos vamos.

FRAY ANTONIO

Todos me tienen por loco
en aqueste monasterio.   1860

CRUZ

No hable entre dientes; camine,
y esas danzas no imagine,
que carecen de misterio.

PRIOR

Vaya con Dios, padre mío.

CIUDADANO 1.º

Con él vamos muy contentos.   1865

CRUZ

¡Favorezca mis intentos
Dios, de quien siempre confío!

Salen un clérigo y DOÑA ANA DE TREVIÑO
y acompañamiento

CLÉRIGO

Si así la cama la cansa,
puede salir a esta sala.

DOÑA ANA

Cualquiera parte halla mala   1870
la que en ninguna descansa.

CLÉRIGO

Lleguen esas sillas.

DOÑA ANA

Cierto
que me tiene su porfía,
padre, helada, yerta y fría,
y que ella sola me ha muerto.   1875
No me canse ni se canse
en persuadirme otra cosa,
que no soy tan amorosa
que con lágrimas me amanse.
¡No hay misericordia alguna   1880
que me valga en suelo o cielo!

CLÉRIGO

Toda la verdad del cielo
a tu mentira repuna [183].
En Dios no hay minoridad
de poder, y si la hubiera,   1885
su menor parte pudiera
curar la mayor maldad.
Es Dios un bien infinito,
y, a respeto de quien es,
cuanto imaginas y ves,   1890
viene a ser punto finito.

DOÑA ANA

Los atributos de Dios
son iguales; no os entiendo,
ni de entenderos pretendo.
Matáisme, y cansáisos vos.   1895
¡Bien fuera que Dios ahora,
sin que en nada reparara,

---

[183] *Repuna* (Valb.); *repugna* (Sch. y B.) y BAE.

sin más ni más, perdonara
a tan grande pecadora!
No hace cosa mal hecha,   1900
y así no ha de hacer aquésta.

CLÉRIGO

¿Hay locura como ésta?

DOÑA ANA

No gritéis, que no aprovecha.

Entran a este instante el PADRE CRUZ *y* FRAY ANTONIO,
y pónese el PADRE *a escuchar lo que está diciendo el*
CLÉRIGO, *el cual prosigue diciendo:*

CLÉRIGO

Pues nació para salvarme
Dios, y en cruz murió enclavado,   1905
perdonará mi pecado,
si está en menos perdonarme.
De su parte has de esperar,
que de la tuya no esperes
el gran perdón que no quieres,   1910
que él se extrema en perdonar.
Deus cui proprium est misereri semper,
et parcere, et misericordia eius
super omnia opera eius.
Y el rey divino cantor,
las alabanzas que escuchas
después que ha dicho, otras muchas
dice de aqueste tenor: 1915
Misericordias tuas, Domine, in aeternum
cantabo [184].
La mayor ofensa haces
a Dios que puedes hacer:
que, en no esperar y temer,

---

[184] *Misericordias.* Salmo LXXXVIII, v. 2: «Cantaré eternamente
las misericordias del Señor.»

parece que le deshaces,
pues vas contra el atributo   1920
que él tiene de omnipotente,
pecado el más insolente,
más sin razón y más bruto.
En dos pecados se ha visto,
que Judas quiso extremarse,   1925
y fue el mayor ahorcarse
que el haber vendido a Cristo.
Hácesle agravio, señora,
grande en no esperar en él,
porque es paloma sin hiel   1930
con quien su pecado llora.
*Cor contritum et humiliatum, Deus,
nos despicies* [185].
El corazón humillado,
Dios por jamás le desprecia;
antes, en tanto le precia,
que es fe y caso averiguado   1935
que [se] regocija el cielo
cuando con nueva conciencia
se vuelve a hacer penitencia
un pecador en el suelo.
El padre Cruz está aquí;   1940
buen suceso en todo espero.

CRUZ

Prosiga, padre, que quiero
estarle atento.

DOÑA ANA

                    ¡Ay de mí,
que otro moledor acude
a acrecentar mi tormento!   1945

---

[185] *Cor contritum.* Salmo L, v. 19: «... al corazón contrito y humillado no lo desprecies, ¡oh Dios!»

¡Pues no ha de mudar mi intento
aunque más trabaje y sude!
¿Qué me queréis, padres, vos,
que tan hinchado os llegáis?
¡Bien parece que ignoráis   1950
cómo para mí no hay Dios!
No hay Dios, digo, y mi malicia
hace, con mortal discordia,
que esconda misericordia
el rostro, y no la justicia.   1955

CRUZ

Dixit insipiens in corde suo: non est
Deus [186].
Vuestra humildad, señor, sea
servida de encomendarme
a Dios, que quiero mostrarme
sucesor en su pelea.

> *(Híncanse de rodillas el clérigo,*
> *fray Antonio y el padre Cruz, y los*
> *circunstantes todos.)*

¡Dichosa del cielo puerta,   1960
que levantó la caída
y resucitó la vida
de nuestra esperanza muerta!
¡Pide a tu parto dichoso
que ablande aquí estas entrañas,   1965
y muestre aquí las hazañas
de su corazón piadoso!
Et docebo iniquos vias tuas, et impii
ad te convertentur [187].

---

[186] *Dixit.* Salmo XIII, v. 1: «Dijo el necio en su corazón: No
hay Dios.»
[187] *Et docebo.* Salmo L, v. 15: «Enseñaré a los inicuos tus caminos, y los impíos se convertirán a ti.»

Mi señora doña Ana de Treviño,
estando ya tan cerca la partida
del otro mundo, pobre es el aliño   1970
que veo en esta amarga despedida.
Blancas las almas como blanco armiño
han de entrar en la patria de la vida,
que ha de durar por infinitos siglos,
y negras donde habitan los vestiglos.   1975
Mirad dónde queréis vuestra alma vaya;
escogedle la patria a vuestro gusto.

DOÑA ANA

La justicia de Dios me tiene a raya;
no me ha de perdonar, por ser tan justo;
al malo la justicia le desmaya;   1980
no habita la esperanza en el injusto
pecho del pecador, ni es bien que habite.

CRUZ

Tal error de tu pecho Dios le quite.
En la hora que la muerte
a la pobre vida alcanza,   1985
se ha de asir de la esperanza
el alma que en ello advierte;
que, en término tan estrecho
y de tan fuerte rigor,
no es posible que el temor   1990
sea al alma de provecho.
El esperar y el temer
en la vida han de andar juntos;
pero en la muerte otros puntos
han de guardar y tener.   1995
El que, en el palenque puesto,
teme a su contrario, yerra,
y está el que animoso cierra
a la victoria dispuesto.
En el campo estáis, señora;   2000

la guerra será esta tarde;
mirad que no os acobarde
el enemigo en tal hora.

DOÑA ANA

Sin armas, ¿cómo he de entrar
en el trance riguroso,   2005
siendo el contrario mañoso
y duro de contrastar?

CRUZ

Confiad en el padrino
y en el juez, que es mi Dios.

DOÑA ANA

Parece que dais los dos   2010
en un mismo desatino.
Dejadme, que, en conclusión,
tengo el alma de manera
que no quiero, aunque Dios quiera,
gozar de indulto y perdón.   2015
¡Ay, que se me arranca el alma!
¡Desesperada me muero!

CRUZ

Demonio, en Jesús espero
que no has de llevar la palma
de esta empresa. ¡Oh Virgen pura!   2020
¿Cómo vuestro auxilio tarda?
¡Ángel bueno de su guarda,
ved que el malo se apresura!
Padre mío, no desista
de la oración, rece más,   2025
que es arma que a Satanás
le vence en cualquier conquista.

FRAY ANTONIO

Cuerpo ayuno y desvelado
fácilmente se empereza,
y, más que reza, bosteza,   2030
indevoto y desmayado.

DOÑA ANA

¡Que tan sin obra se halle
mi alma!

CRUZ

Si fe recobras [188],
yo haré que te sobren obras.

DOÑA ANA

¿Hállanse, a dicha, en la calle?   2035
Y la [s] que he hecho hasta aquí,
¿han sido sino de muerte?

CRUZ

Escucha un poco, y advierte
lo que ahora diré.

DOÑA ANA

Di.

CRUZ

Un religioso que ha estado   2040
gran tiempo en su religión,
y con limpio corazón
siempre su regla ha guardado,
haciendo tal penitencia,
que mil veces el prior   2045

----
[188] *Si fe(e) recobras*. El texto: *si sese cobras*.

137

le manda temple el rigor
en virtud de la obediencia;
y él, con ayunos continos,
con oración y humildad,
busca de riguridad   2050
los más ásperos caminos:
e[l] duro suelo es su cama,
sus lágrimas, su bebida,
y sazona su comida
de Dios la amorosa llama;   2055
un canto aplica a su pecho
con golpes, de tal manera,
que, aunque de diamante fuera,
le tuviera ya deshecho;
por huir del torpe vicio   2060
de la carne y su regalo,
su camisa, aunque esté malo,
es de un áspero cilicio[189];
descalzos[190] siempre los pies,
de toda malicia ajeno,   2065
amando a Dios por ser bueno,
sin mirar otro interés.

DOÑA ANA

¿Qué quieres de eso inferir,
padre?

CRUZ

Que digáis, señora,   2070
si este tal podrá, en la hora
angustiada del morir,
tener alguna esperanza
de salvarse.

---

189 *Cilicio* (Valb.); *silicio* (Sch. y B.) y BAE.
190 *Descalzos* (Valb.); *descalzo* (Sch. y B.) y BAE.

¿Por qué no?
¡Ojalá tuviera yo
la menor parte que alcanza   2075
de tales obras tal padre!
Pero no tengo ni aun una
que en esta angustia importuna
a mis esperanzas cuadre.

CRUZ

Yo os daré todas las mías,   2080
y tomaré el grave cargo
de las vuestras a mi cargo.

DOÑA ANA

Padre, dime: ¿desvarías?
¿Cómo se puede hacer eso?

CRUZ

Si te quieres confesar,   2085
los montes puede allanar
de caridad el exceso.
Pon tú el arrepentimiento
de tu parte, y verás luego
cómo en tus obras me entrego,   2090
y tú en aquellas[191] que cuento.

DOÑA ANA

¿Dónde están los fiadores
que aseguren el concierto?

CRUZ

Yo estoy bien seguro y cierto
que nadie los dio mejores,   2095

---

[191] *Aquellas*. El texto, erróneamente: *aquellos*.

ni tan grandes, ni tan buenos,
ni tan ricos, ni tan llanos,
puesto que son soberanos,
y de inmensa alteza llenos.

DOÑA ANA

¿A quién me dais?

CRUZ

      A la pura,   2100
sacrosanta, rica y bella,
que fue madre y fue doncella,
crisol de nuestra ventura.
A Cristo crucificado
os doy por fiador también,   2105
dóyosle niño en Belén
perdido y después hallado.

DOÑA ANA

Los fiadores me contentan;
los testigos, ¿quién serán?

CRUZ

Cuantos en el cielo están   2110
y en sus escaños se sientan.

DOÑA ANA

El contrato referid,
porque yo quede enterada
de la merced señalada
que me hacéis.

CRUZ

      Cielos, oíd.   2115
Yo, fray Cristóbal de la Cruz, indigno

religioso, y profeso en la sagrada
orden del patriarca felicísimo
Domingo santo, en esta forma digo:
Que al alma de doña Ana de Treviño,   2120
que está presente, doy de buena gana
todas las buenas obras que yo he hecho
en caridad y en gracia desde el punto
que dejé la carrera de la muerte
y entré en la de vida; doyle todos   2125
mis ayunos, mis lágrimas y azotes,
y el mérito santísimo de cuantas
misas he dicho, y asimismo doyle
mis oraciones todas y deseos,
que han tenido a mi Dios siempre por
                                     [blanco;   2130
y, en contracambio, tomo sus pecados,
por enormes que sean, y me obligo
de dar la cuenta de ellos en el alto
y eterno tribunal de Dios eterno,
y pagar los alcances y las penas   2135
que merecieren sus pecados todos.
Mas es la condición de este concierto
que ella primero de su parte ponga
la confesión y el arrepentimiento.

FRAY ANTONIO

¡Caso jamás oído es éste, padre!   2140

CLÉRIGO

Y caridad jamás imaginada.

CRUZ

Y para que me crea y se asegure,
le doy por fiadores a la Virgen
santísima María y a su Hijo,
y a las once mil vírgenes benditas,   2145

que son mis valedoras y abogadas;
y a la tierra y el cielo hago testigos,
y a todos los presentes que me escuchan.
Moradores del cielo, no se os pase
esta ocasión, pues que podéis en ella   2150
mostrar la caridad vuestra encendida;
pedid al gran Pastor de los rebaños
del cielo y de la tierra que no deje
que lleve Satanás esta ovejuela
que él almagró [192] con su preciosa sangre.   2155
Señora, ¿no aceptáis este concierto?

DOÑA ANA

Sí acepto, padre, y pido arrepentida
confesión, que me muero.

CLÉRIGO

                ¡Obras son éstas,
gran Señor, de las tuyas!

FRAY ANTONIO

                ¡Bueno queda
el padre Cruz ahora, hecha arista   2160
el alma, seca y sola como espárrago!
Paréceme que vuelve al *Sicut erat*,
y que deja el breviario y se acomoda
con el barcelonés [193] y la de ganchos [194].
Siempre fue liberal, o malo, o bueno.   2165

DOÑA ANA

Padre, no me dilate este remedio;
oiga las culpas que a su cargo quedan,

---

[192] *Almagró, almagrar:* Teñir de óxido rojo de hierro. Los pastores tienen costumbre de almagrar, *señalar,* las ovejas del rebaño para poder conocerlas.

[193] *El barcelonés* (germanía): El broquel.

[194] *La de ganchos.* Véanse las citas 34 y 112.

que, si no le desmayan por ser tantas,
yo moriré segura y confiada
que he de alcanzar perdón de todas ellas.   2170

CRUZ

Padre, vaya al convento, y dé esta nueva
a nuestro padre, y ruéguele que haga
general oración, dando las gracias
a Dios de este suceso milagroso,
en tanto que a esta nueva penitente [195]   2175
oigo de confesión.

FRAY ANTONIO

A mí me place.

CRUZ

Vamos do estemos solos.

DOÑA ANA

En buen hora.

CLÉRIGO

¡Oh bienaventurada pecadora!

---

[195] *Esta nueva penitente, este nuevo penitente* (Valb.).

Jornada tercera

Salen un CIUDADANO *y el* PRIOR

CIUDADANO

Oigan los cielos y la tierra entienda
tan nueva y tan extraña maravilla,   2180
y su paternidad a oílla atienda;
que, puesto que no pueda referilla
con aquellas razones que merece,
peor será que deje de decilla.
Apenas a la vista se le ofrece   2185
doña Ana al padre Cruz, sin la fe pura
que a nuestras esperanzas fortalece,
cuando, con caridad firme y segura,
hizo con ella un cambio, de tal suerte,
que cambió su desgracia en gran ventura.   2190
Su alma de las garras de la muerte
eterna arrebató, y volvió a la vida,
y de su pertinacia la divierte,
la cual, como se viese enriquecida
con la dádiva santa que el bendito   2195
padre le dio sin tasa y sin medida,
alzó al momento un piadoso grito
al cielo, y confesión pidió llorando,
con voz humilde y corazón contrito;
y, en lo que antes dudaba no dudando,   2200
de sus deudas dio cuenta muy estrecha
a quien ahora las está pagando;
y luego, sosegada y satisfecha,

144

todos los sacramentos recibidos,
dejó la cárcel de su cuerpo estrecha.   2205
Oyéronse en los aires divididos
coros de voces dulces, de manera
que quedaron suspensos los sentidos;
dijo al partir de la mortal carrera
que las once mil vírgenes estaban   2210
todas en torno de su cabecera;
por los ojos las almas destilaban
de gozo y maravilla los presentes,
que la süave música escuchaban;
y apenas por los aires transparentes   2215
voló de la contrita pecadora
el alma a las regiones refulgentes,
cuando en aquella misma feliz hora
se vio del padre Cruz cubierto el rostro
de lepra, adonde el asco mismo mora.   2220
Volved los ojos, y veréis el mostro [196],
que lo es en santidad y en la fiereza,
cuya fealdad a nadie le da en rostro.

Entra el PADRE CRUZ, *llagado el rostro y las manos;
tráenle dos* CIUDADANOS *de los brazos, y* FRAY ANTONIO

CRUZ

Acompaña a la lepra la flaqueza;
no me puedo tener. ¡Dios sea bendito,   2225
que así a pagar mi buen deseo empieza!

PRIOR

Por ese tan borrado sobrescrito
no podrá conoceros, varón santo,
quien no os mirare muy de hito en hito.

---

[196] *El mostro* (Valb.); *el monstruo* (Sch. y B.) y BAE.

CRUZ

Padre prior, no se adelante tanto [197]   2230
vuestra afición, que me llaméis con nombre
que me cuadra tan mal, que yo me espanto.
Inútil fraile soy, pecador hombre,
puesto que me acompaña un buen deseo;
mas no dan los deseos tal renombre.   2235

CIUDADANO 1.º

En vos contemplo, padre Cruz, y leo
la paciencia de Job, y su presencia
en vuestro rostro deslustrado veo.
Por la ajena malicia la inocencia
vuestra salió, y pagó tan de contado,   2240
cual lo muestra el rigor de esta dolencia.
Obligásteos [198] hoy, y habéis pagado
hoy.

CRUZ

      A lo menos, de pagar espero,
pues de mi voluntad quedé obligado.

CIUDADANO 2.º

¡Oh en la viña de Dios gran jornalero!   2245
¡Oh caridad, brasero y fragua ardiente!

CRUZ

Señores, hijo soy de un tabernero;
y si es que adulación no está presente,
y puede la humildad [199] hacer su oficio,
cese la cortesía, aquí indecente.   2250

---

[197] A este verso sigue en Valb. el siguiente, que no figura ni en
la ed. de Sch. y B. ni en la de BAE: «de vil temor pasado, como
puedo».

[198] *Obligásteos* (Valb.); *obligástesos* (Sch. y B.) y BAE.

[199] *La humildad, humanidad* (Valb.).

Yo, traidor, que a la gula, en sacrificio
del alma, y a la hampa, engendradora
de todo torpe y asqueroso vicio,
digo que me consagro desde ahora
para limpiar tus llagas y curarte, ·   2255
hasta el fin de mi vida o su mejora;
y no tendrá conmigo alguna parte
la vana adulación, pues, de contino,
antes rufián que santo he de llamarte.
Con esto no hallará ningún camino   2260
la vanagloria para hacerte guerra,
enemigo casero y repentino.

CIUDADANO 2.º

Venistes[200] para bien de aquesta tierra.
¡Dios os guarde mil años, padre amado!

CIUDADANO 1.º

¡Sólo en su[201] pecho caridad encierra!   2265

CRUZ ·

Padres, recójanme, que estoy cansado.

*Éntranse todos, y salen dos demonios: el uno, con
figuras de oro, y el otro como quisieren. Esta visión fue
verdadera, que así se cuenta en su historia*

SAQUEL

¡Que así nos la quitase de las manos!
¡Que así la mies tan sazonada nuestra
la segase la hoz del tabernero!
¡Reniego de mí mismo, y aun reniego!   2270
¡Y que tuviese[202] Dios por bueno y justo

---

200 *Vinistes, viniste* (Valb.).
201 *En su, tu* (Valb.).
202 *Tuviese, tuviste* (Valb.).

tal cambalache! Estúvose la dama
al pie de cuarenta años en sus vicios,
desesperada de remedio alguno;
llega este otro buen alma, y dale luego   2275
los tesoros de gracia que tenía
adquiridos por Cristo y por sus obras.
¡Gentil razón, gentil guardar justicia,
y gentil igualar de desiguales
y contrapuestas prendas: gracia y culpa,   2280
bienes de gloria y del infierno males!

VISIEL

Como fue el corredor de esta mohatra
la caridad, facilitó el contrato,
puesto que desigual.

SAQUEL

                    De esta manera,
más rica queda el alma de este rufo,   2285
por haber dado cuanto bien tenía,
y tomando el ajeno mal a cuestas,
que antes estaba que el contrato hiciese.

VISIEL

No sé qué te responda; sólo veo
que no puede ninguno de nosotros   2290
alabarse que ha visto en el infierno
algún caritativo.

SAQUEL

                    ¿Quién lo duda?
¿Sabes qué veo, Visiel amigo?
Que no es equivalente aquesta lepra
que padece este fraile, a los tormentos   2295
que pasara doña Ana en la otra vida.

VISIEL

¿No adviertes que ella puso de su parte
grande arrepentimiento?

SAQUEL

                    Fue a los fines
de su malvada vida.

VISIEL

                    En un instante
nos quita de las manos Dios al alma   2300
que se arrepiente y sus pecados llora;
cuanto y más, que ésta estaba enriquecida
con las gracias del fraile hi de bellaco.

SAQUEL

Mas de este generoso, a lo que entiendes,
¿qué será dél, ahora que está seco   2305
e inútil para cosa de esta vida?

VISIEL

¿Aqueso ignoras? No sabes [que] conocen
sus frailes su virtud y su talento,
su ingenio y su bondad, partes bastantes
para que le encomienden su gobierno?   2310

SAQUEL

¿Luego será prior?

VISIEL

                    ¡Muy poco dices!
Provincial le verás.

SAQUEL

                    Ya lo adivino.
En el jardín está; tú no te muestres,
que yo quiero a mis solas darle un toque
con que siquiera a ira le provoque.   2315

Éntranse. Salen FRAY ÁNGEL *y* FRAY ANTONIO

FRAY ANTONIO

¿Qué trae, fray Ángel? ¿Son huevos?

A

Hable, fray Antonio, quedo.

FRAY ANTONIO

¿Tiene miedo?

A

Tengo miedo.

FRAY ANTONIO

Déme dos de los más nuevos,
de los más frescos, le digo,   2320
que me los quiero sorber
así, crudos.

A

Hay que hacer
primero otra cosa, amigo.

FRAY ANTONIO

Siempre acudes a mi ruego
dilatando tus mercedes.   2325

A

Si estos huevos comer puedes,
veslos aquí, no los niego.

(Muéstrale dos bolas de argolla[203].)

---

[203] *Argolla:* Juego de argolla que consiste en pasar unas bolas
por un círculo o anillo móvil.

FRAY ANTONIO

¡Oh coristas y novicios!
La mano que el bien dispensa,
os quite de la despensa   2330
las cerraduras y quicios;
la yerba del pito [204] os dé,
que abre todas cerraduras,
y veáis, estando a oscuras,
como el luciérnago ve;   2335
y, señores de las llaves,
sin temor y sobresalto,
deis un generoso asalto
a las cosas más süaves;
busquéis hebras de tocino,   2340
sin hacer del unto caso,
y en penante y limpio vaso [205]
deis dulces sorbos de vino;
de almendra morisca y pasa
vuestras mangas se vean llenas,   2345
y jamás muelas ajenas
a las vuestras pongan tasa;
cuando en la tierra comáis
pan y agua con querellas,
halléis empanadas bellas   2350
cuando a la celda volváis;
hágaos la paciencia escudo
en cualquiera vuestro aprieto;
mándeos un prior discreto,
afable y no cabezudo.   2355

---

[204] (La hierba del) *pito*. «Cuentan que esta ave busca cierta hierba, con la cual se abre cualquiera cerradura de hierro y la hace saltar.» (*Covarrubias.*)

[205] *En penante, penado*. «Dícese de una especie de vasija usada antiguamente en España para beber, la cual se hacía muy estrecha de boca, a fin de que fuese dando corta cantidad de bebida.» (*Dicc. de la Acad.*)

A

Deprecación bien cristiana,
fray Antonio, es la que has hecho;
que aspiró a nuestro provecho,
es cosa también bien llana.
Grande miseria pasamos   2360
y a sumo estrecho venimos
los que misa no decimos
y a los que no predicamos.

FRAY ANTONIO

¿Para qué son esas bolas?

A

Yo las llevaba con fin   2365
de jugar en el jardín
contigo esta tarde a solas,
en las horas que nos dan
de recreación.

FRAY ANTONIO

                    ¿Y llevas
argolla?

A

                Y paletas nuevas.   2370

FRAY ANTONIO

¿Quién te las dio?

A

                Fray Beltrán.
Se las envió su prima,
y él me las ha dado a mí.

FRAY ANTONIO

Con las paletas aquí
haré dos tretas de esgrima.   2375
Precíngete como yo,
y entrégame una paleta,
y está advertido una treta
que el padre Cruz me mostró
cuando en la jácara[206] fue   2380
águila volante y diestra.
Muestra, digo; acaba, muestra.

A

Toma; pero yo no sé
de esgrima más que un jumento.

FRAY ANTONIO

Ponte de aquesta manera: 2385
vista alerta; ese pie fuera,
puesto en medio movimiento.
Tírame un tajo volado
a la cabeza. ¡No así;
que ése es revés[207], pese a mí!   2390

A

¡Soy un asno enalbardado!

FRAY ANTONIO

Esta es la brava postura
que llaman puerta de hierro
los jaques.

A

¡Notable yerro
y disparada locura!   2395

---

206 *Jácara, jacarandina*. Véase la cita núm. 54.
207 *Revés:* Una de las tretas de esgrima.

FRAY ANTONIO

Doy broquel, saco el baldeo[208],
levanto, señalo o pego,
repárome en cruz, y luego
tiro un tajo de voleo.

Sale el PADRE CRUZ, *arrimado a un báculo y rezando
en un rosario*

CRUZ

Fray Antonio, basta ya;   2400
no mueran más, si es posible.

A

¡Qué confusión tan terrible!

CRUZ

¡Buena la postura está!
No se os pueden embotar
las agudezas de loco.   2405

FRAY ANTONIO

Indigesto estaba un poco,
y quíseme ejercitar
para hacer la digestión,
que dicen que es conveniente
el ejercicio vehemente.   2410

CRUZ

Vos tenéis mucha razón;
mas yo os daré un ejercicio
con que os haga por la posta
digerir a vuestra costa
la superfluidad del vicio: 2415

---

[208] *El baldeo:* La espada.

vaya y póngase a rezar
dos horas en penitencia;
y puede su reverencia,
fray Ángel, ir a estudiar,
y déjese de las tretas   2420
de este valiente mancebo.

FRAY ANTONIO

¿Las bolas?

A

Aquí las llevo.

FRAY ANTONIO

Toma, y lleva las paletas.

Éntranse FRAY ANTONIO *y* FRAY ÁNGEL

CRUZ

De la oscuridad del suelo
te saqué a la luz del día,   2425
Dios queriendo, y yo querría
llevarte a la luz del cielo.

Vuelve a entrar SAQUEL *vestido de oso. Todo fue así*

SAQUEL

Cambiador nuevo en el mundo,
por tu voluntad enfermo,
¿piensas que eres en el yermo   2430
algún Macario segundo?
¿Piensas que se han de avenir
bien para siempre jamás
con lo que es menos lo más,
la vida con el morir,   2435
soberbia con humildad,

diligencia con pereza,
la torpedad con limpieza,
la virtud con la maldad?
Engáñaste; y es tan cierto   2440
no avenirse lo que digo,
que puedes ser tú testigo
de esta verdad, con que acierto.

CRUZ

¿Qué quieres de eso inferir,
enemigo Satanás?   2445

SAQUEL

Que es locura en la que das
dignísima de reír;
que en el cielo ya no dan
puerta, a que entren de rondón,
así como entró un ladrón,   2450
que entre también un rufián.

CRUZ

Conmigo en balde te pones
a disputar: que yo sé
que, aunque te sobre en la fe,
me has de sobrar tú en razones.   2455
Dime a que fue tu venida,
o vuélvete, y no hables más.

SAQUEL

Mi venida, cual verás,
es a quitarte la vida.

CRUZ

Si es que traes de Dios licencia,   2460
fácil te será quitarla,

y más fácil a mí darla
con prontísima obediencia.
Si la traes, ¿por qué no pruebas
a ofenderme? Aunque recelo   2465
que no has de tocarme a un pelo,
por muy mucho que te atrevas.
¿Qué bramas? ¿Quién te atormenta?
Pero espérate, adversario.

SAQUEL

Es para mí de un rosario   2470
bala la más chica cuenta.
Rufián, no me martirices;
tuerce, hipócrita, el camino.

CRUZ

Aun bien que tal vez, malino,
algunas verdades dices.   2475

Vase el DEMONIO *bramando*

Vuelve, que te desafío
a ti y al infierno todo,
hecho valentón al modo
que plugo al gran Padre mío.
¡Oh alma!, mira quién eres,   2480
para que del bien no tuerzas;
que el diablo no tiene fuerzas,
más de las que tú le dieres.
Y para que no rehúyas
de verte con él a brazos,   2485
Dios rompe y quiebra los lazos
que pasan las fuerzas tuyas.

Vuelve a entrar FRAY ANTONIO *con un plato de hilas
y paños limpios*

157

FRAY ANTONIO

Éntrese, padre, a curar.

CRUZ

Paréceme que es locura
pretender a mi mal cura.   2490

FRAY ANTONIO

¿Es eso desesperar?

CRUZ

No, por cierto, hijo mío;
mas es esta enfermedad
de una cierta calidad,
que curarla es desvarío.   2495
Viene del cielo.

FRAY ANTONIO

                    ¿Es posible
que tan mala cosa encierra
el cielo, do el bien se encierra?
Téngolo por imposible.
¿Estaráse ahora holgando   2500
doña Ana, que te la dio,
y estaréme en balde yo
tu remedio procurando?

Entra FRAY ÁNGEL

A

Padre Cruz, mándeme albricias,
que han elegido prior.   2505

CRUZ

Si no te las da el Señor,
de mí en vano las codicias.
Mas decidme: ¿quién salió?

A

Salió su paternidad.

CRUZ

¿Yo, padre?

A

Sí, en mi verdad.   2510

FRAY ANTONIO

¿Búrlaste, fray Ángel?

A

No.

CRUZ

¿Sobre unos hombros podridos
tan pesada carga han puesto?
No sé qué me diga de esto.

FRAY ANTONIO

Cególes Dios los sentidos: 2515
que si ellos te conocieran
como yo te he conocido,
tomaran otro partido,
y otro prior eligieran.

A

Ahora digo, fray Antonio,   2520
que tiene, sin duda alguna,
en eso lengua importuna
entretejido el demonio:
que si ello no fuera así,
nunca tal cosa dijera[s].   2525

FRAY ANTONIO

Fray Ángel, no hablo de veras;
pero conviene esto aquí.
Gusta este santo de verse
vituperado de todos,
y va huyendo los modos   2530
do pueda ensoberbecerse.
Mira qué confuso está
por la nueva que le has dado.

A

Puesto le tiene en cuidado.

FRAY ANTONIO

El cargo no aceptará.   2535

CRUZ

¿No saben estos benditos
cómo soy simple y grosero,
e hijo de un tabernero,
y padre de mil delitos?

FRAY ANTONIO

Si yo pudiera dar voto,   2540
a fe que no te le diera;
antes, a todos dijera

la vida que de hombre roto [209]
en Sevilla y en Toledo
te vi hacer.

CRUZ

Tiempo te queda;   2545
dila, amigo, porque pueda
escaparme de este miedo
que tengo de ser prelado,
cargo para mí indecente:
que ¿a qué será suficiente   2550
hombre que está tan llagado
y que ha sido un...?

FRAY ANTONIO

¿Qué? ¿Rufián?
Que por Dios, y así me goce,
que le vi reñir con doce
de feria y de San Román;   2555
y en Toledo, en las Ventillas [210],
con siete terciopeleros;
él hecho zaque, ellos cueros [211],
le vide hacer maravillas.
¡Qué de capas vi a sus pies!   2560
¡Qué de broqueles rajados!
¡Qué de cascos abollados!
Hirió a cuatro; huyeron tres.
Para aqueste ministerio
sí que le diera mi voto,   2565

---

[209] *Hombre roto:* De vida libre, licenciosa.
[210] *Ventillas:* El lugar frecuentado por rufianes y gente vaga-
bunda.
[211] *Zaque..., cueros:* Borrachos. Comp.

> «BENITO. No te comparas
>   bien; di de zaque, que es vino:
>   no de alcarraza, que es agua.»
>
> (Calderón: *El postrer duelo de España*, jorn. II.)

porque en él fuera el más doto
rufián de nuestro hemisferio;
pero para ser prior
no le diera yo jamás.

CRUZ

¡Oh cuánto en lo cierto estás,   2570
Antonio!

FRAY ANTONIO

¡Y cómo, señor!

CRUZ

Así cual quieres te goces,
cristiano, y fraile, y sin mengua,
que des un filo a la lengua,
y digas mi vida a voces.   2575

Entra el PRIOR, *y otro* FRAILE *de acompañamiento*

PRIOR

Vuestra paternidad nos dé las manos,
y bendición con ellas.

CRUZ

Padres míos,
¿adónde a mí tal sumisión?

PRIOR

Mi padre,
es ya nuestro prelado.

FRAY ANTONIO

¡Buenos cascos
tienen, por vida mía, los que han hecho   2580
semejante elección!

PRIOR

Pues qué, ¿no es santa?

FRAY ANTONIO

A un Job hacen prior, que no le falta
si no es el muladar y ser casado
para serlo del todo. ¡En fin; son frailes!
Quien tiene el cuerpo de dolores lleno,   2585
¿cómo podrá tener entendimiento
libre para el gobierno que requiere
tan peligroso y trabajoso oficio
como el de ser prior? ¿No lo ven claro?

CRUZ

¡Oh, qué bien que lo ha dicho fray Antonio!   2590
¡El cielo se lo pague! Padres míos,
¿no miran cuál estoy, que en todo el cuerpo
no tengo cosa sana? Consideren
que los dolores turban los sentidos,
y que ya no estoy bueno para cosa,   2595
si no es para llorar y dar gemidos
a Dios por mis pecados infinitos.
Amigo fray Antonio, di a los padres
mi vida, de quien fuiste buen testigo;
diles mis insolencias y recreos,   2600
la inmensidad descubre de mis culpas,
la bajeza les di de mi linaje,
diles que soy de un tabernero hijo,
porque les haga todo aquesto junto
mudar de parecer.

PRIOR

Escusa débil   2605
es ésa, padre mío; a lo que ha sido,
ha borrado lo que es. Acepte y calle,
que así lo quiere Dios.

CRUZ

¡Él sea bendito!
Vamos, que la experiencia dará presto
muestras que soy inútil.

FRAY ANTONIO

¡Vive el Cielo,2610
que merece ser Papa tan buen fraile!

A

Que será provincial, yo no lo dudo.

FRAY ANTONIO

Aqueso está de molde. Padre, vamos,
que es hora de curarte.

CRUZ

Sea en buen hora.

FRAY ANTONIO

Va a ser prior, ¿y por no serlo llora?2615

Éntranse. Sale LUCIFER *con corona y cetro, el más
galán demonio y bien vestido que ser pueda, y* SAQUEL
y VISIEL, *como quisieren, de demonios feos*

LUCIFER

Desde el instante que salimos fuera
de la mente eternal, ángeles siendo,
y con soberbia voluntad y fiera
fuimos el gran pecado aprehendiendo,
sin querer ni poder de la carrera2620
torcer donde una vez fuimos subiendo,
hasta ser derribados a este asiento,
do no se admite el arrepentimiento;

digo que desde entonces se recoge
la fiera envidia en este pecho fiero,   2625
de ver que el cielo en su morada acoge
a quien pasó también de Dios el fuero.
En mí se extiende y en Adán se encoge
la justicia de Dios, manso y severo,
y de él gozan los hombres in eterno,   2630
y mis secuaces, de este duro infierno.
Y no contento aquel que dio en un palo
la vida, que fue muerte de la muerte,
de verme despojado del regalo
de mi primera aventajada suerte,   2635
quiere que se alce con el cielo un malo,
un pecador blasfemo, y que se acierte
a salvar en un corto y breve instante
un ladrón que no tuvo semejante;
la pecadora pública arrebata   2640
de sus pies el perdón de sus pecados,
y su historia santísima dilata
por siglos en los años prolongados;
un cambiador, que en sus usuras trata,
deja a sola una voz sus intrincados   2645
libros, y por manera nunca vista
le pasa a ser divino coronista[212];
y ahora quiere que un rufián se asiente
en los ricos escaños de la gloria,
y que su vida y muerte nos la cuente   2650
alta, fámosa y verdadera historia.
Por eso inclino la soberbia frente,
y quiero que mi angustia sea notoria
a vosotros, partícipes y amigos,
y de mi mal y mi rencor testigos;   2655
no para que me deis consuelo alguno,
pues tenerle nosotros no es posible,
sino porque acudáis al oportuno
punto que hasta los santos es terrible.

---

[212] *Divino coronista:* Evangelista San Mateo.

Este rufián, cual no lo fue ninguno,　　　2660
por su fealdad al mundo aborrecible,
está ya de partida para el cielo,
y humilde apresta el levantado vuelo.
Acudid, y turbadle los sentidos,
y entibiad, si es posible, su esperanza,　　2665
y de sus vanos pasos y perdidos
hacedle temerosa remembranza;
no llegue alegre voz a sus oídos
que prometa segura confianza
de haber cumplido con la deuda y cargo　2670
que por su caridad tomó a su cargo.
¡Ea!, que expira ya, después que ha hecho
prior y provincial tan bien su oficio,
que tiene al suelo y cielo satisfecho,
y da de que es gran santo gran indicio.　　2675

SAQUEL

No será nuestra ida de provecho,
porque será de hacerle beneficio,
pues siempre que a los brazos he venido
con él, queda con palma, y yo vencido.

LUCIFER

Mientras no arroja el postrimero aliento,　2680
bien se puede esperar que en algo tuerza
el peso, puesto en duda el pensamiento:
que a veces puede mucho nuestra fuerza.

VISIEL

Yo cumpliré, señor, tu mandamiento:
que adonde hay más bondad, allí se esfuerza　2685
más mi maldad. Allá voy diligente.

LUCIFER

Todos venid, que quiero estar presente.

Éntranse todos, y salen tres ALMAS, *vestidas con
tunicelas de tafetán blanco, velos sobre los rostros,
y velas encendidas*

ALMA 1.ª

Hoy, hermanas, que es el día
en quien, por nuestro consuelo,
las puertas ha abierto el cielo   2690
de nuestra carcelería
para venir a este punto,
todo lleno de misterio,
viendo en este monasterio
al gran Cristóbal difunto,   2695
al alma devota suya
bien será la[213] acompañemos,
y a la región la llevemos
do está la eterna aleluya.

ALMA 2.ª

Felice jornada es ésta,   2700
santa y bienaventurada,
pues se hará, con su llegada,
en todos los cielos fiesta:
que llevando en compañía
alma tan devota nuestra,   2705
darán más claro la muestra
de júbilo y de alegría[214]

ALMA 3.ª

Ella abrió con oraciones,
ayunos y sacrificios,
de nuestra prisión los quicios,   2710
y abrevió nuestras pasiones.
Cuando en libertad vivía,

---

213 *La, le* (Valb.).
214 *De alegría, alegría* (Valb.).

de nosotras se acordaba,
y el rosario nos rezaba
con devoción cada día; 2715
y cuando en la religión
entró, como habemos visto,
muerto al diablo y vivo a Cristo,
aumentó la devoción.
Ni por la riguridad 2720
de las llagas que en sí tuvo,
jamás indevoto estuvo,
ni falto de caridad.
Prior siendo y provincial,
tan manso y humilde fue, 2725
que hizo de andar a pie
y descalzo gran caudal.
Trece años ha que ha vivido
llagado, de tal manera,
que, a no ser milagro, fuera 2730
en dos días consumido.

ALMA 1.ª

Remite sus alabanzas
al lugar donde caminas,
que allí las darán condinas
al valor que tú no alcanzas; 2735
y mezclémonos [215] agora
entre su acompañamiento,
escuchando el sentimiento
de este su amigo que llora.

Éntranse. Sale FRAY ANTONIO *llorando, y trae un
lienzo manchado de sangre*

FRAY ANTONIO

Acabó la carrera 2740
de su cansada vida;

---

[215] *Mezclémonos, mezclándonos* (Valb.).

dio al suelo los despojos;
del cuerpo voló al cielo la alma santa.
¡Oh padre, que en el siglo
fuiste mi nube oscura,   2745
mas en el fuerte asilo,
que así es la religión, mi norte fuiste!
Trece años ha que lidias,
por ser caritativo
sobre el humano modo,   2750
con podredumbre y llagas insufribles;
mas los manchados paños
de tus sangrientas llagas,
se estiman más ahora
que delicados y olorosos lienzos: 2755
con ellos mil enfermos
cobran salud entera;
mil²¹⁶ veces les imprimen
los labios más ilustres y señores.
Tus pies, que, mientras fuiste   2760
provincial, anduvieron
a pie infinitas²¹⁷ leguas
por lodos, por barrancos, por malezas,
agora son reliquias,
agora te los besan   2765
tus súbditos, y aun todos
cuantos pueden llegar a donde yaces.
Tu cuerpo, que ayer era
espectáculo horrendo
según llagado estaba,   2770
hoy es bruñida plata y cristal limpio;
señal que tus carbuncos,
tus grietas y aberturas,
que podrición vertían,
estaban por milagro en ti, hasta tanto   2775
que la deuda pagases

---

²¹⁶ *Mil*. El texto: *mis*.
²¹⁷ *Infinitas*. El texto: *infininitas*.

de aquella pecadora
que fue limpia en un punto:
¡tanto tu caridad con Dios valía!

Entra el PRIOR

PRIOR

Padre Antonio, deje el llanto,   2780
y acuda a cerrar las puertas,
porque si las halla abiertas
el pueblo, que acude tanto,
no nos han de dar lugar
para enterrar a su amigo.   2785

FRAY ANTONIO

Aunque se cierren, yo digo
que ha poco de aprovechar.
No ha de bastar diligencia;
pero, con todo, allá iré.

Entra FRAY ÁNGEL

A

¿Dónde vas, padre?

FRAY ANTONIO

No sé.   2790
Acuda su reverencia,
que está toda la ciudad
en el convento, y se arrojan
sobre el cuerpo, y le despojan
con tanta celeridad.   2795
Y el virrey está también
en su celda.

PRIOR

Padre Antonio,
venga a ver el testimonio
que el cielo da de su bien.

Éntranse todos. Salen dos CIUDADANOS: *el uno con lienzo
de sangre, y el otro con un pedazo de capilla*

CIUDADANO 1.º

¿Qué lleváis vos?

CIUDADANO 2.º

      Un lienzo de sus llagas   2800
¿Y vos?

CIUDADANO 1.º

    De su capilla este pedazo,
que le precio y le tengo en más estima
que si hallara una mina.

CIUDADANO 2.º

       Pues salgamos
aprisa del convento, no nos quiten
los frailes las reliquias.

CIUDADANO 1.º

      ¡Bueno es eso!   2805
¡Antes daré la vida que volverlas!

Entra OTRO

CIUDADANO 3.º

Yo soy, sin duda, la desgracia misma;
no he podido topar de aqueste santo

siquiera con un hilo de su ropa,
puesto que voy contento y satisfecho   2810
con haberle besado cuatro veces
los santos pies, de quien olor despide
del cielo; pero tal fue él en la tierra.
El virrey le trae en hombros, y sus frailes,
y aquí, en aquesta bóveda del claustro,   2815
le quieren enterrar. Música suena;
parece que es del cielo, y no lo dudo.

Traen al santo tendido en una tabla, con muchos
rosarios sobre el cuerpo; tráenle en hombros sus frailes
y el VIRREY; *suena lejos música de flautas y chirimías;*
cesando la música, dice a voces dentro LUCIFER, *o, si*
quisieren, salgan los DEMONIOS *al teatro*

LUCIFER

Aun no puedo llegar siquiera al cuerpo,
para vengar en él lo que en el alma
no pude; tales armas le defienden.   2820

SAQUEL

No hay arnés que se iguale al del rosario.

LUCIFER

Vamos, que en sólo verle me confundo.

SAQUEL

No habemos de parar hasta el profundo.

FRAY ANTONIO

¿Oyes, fray Ángel?

A

Oigo, y son los diablos.

VIRREY

Háganme caridad sus reverencias   2825
que torne yo otra vez a ver el rostro
de este bendito padre.

PRIOR

                    Sea en buen hora.
Padres, abajen, pónganle [en el suelo],
que, pues la devoción de su excelencia
se extiende a tanto, bien será agradarle.   2830

VIRREY

¿Que es éste el rostro que yo vi ha dos días
de horror y llagas y materias lleno?
¿Las manos gafas²¹⁸ son aquéstas, cielo?
¡Oh alma, que, volando a las serenas
regiones, no dejaste testimonio   2835
del felice camino que hoy has hecho!
Clara y limpia la caja do habitaste,
abrasada primero y ahumada²¹⁹
con el fuego encendido en que se ardía,
todo de caridad y amor divino.   2840

CIUDADANO 1.º

Déjennosle besar sus reverencias
los pies siquiera.

PRIOR

                    Devoción muy justa.

VIRREY

Hagan su oficio, padres, y en la tierra
escondan esta joya tan del cielo;

---

²¹⁸ *Gafas:* Leprosas.
²¹⁹ *Ahumada.* El texto: *ahumana.*

esa esperanza nuestro mal remedia.　　2845
Y aquí da fin felice esta comedia.

FIN DE ESTA COMEDIA

Hase de advertir que todas las figuras de mujer de esta comedia las pueden hacer solas dos mujeres.

Colección Letras Hispánicas

Prosa y poesía, ALFONSON REYES.
  Edición de James Willis Robb.
Itinerario poético, GABRIEL CELAYA.
  Edición del autor.
Antología poética, JUAN RAMÓN JIMÉNEZ.
  Edición de Vicente Gaos.
Poemas de los pueblos de España, MIGUEL DE UNAMUNO.
  Edición de Manuel García Blanco.
El sí de las niñas, LEANDRO F. DE MORATÍN.
  Edición de José Montero Padilla.
El rufián dichoso, MIGUEL DE CERVANTES.
  Edición de Edward Nagy.

DE INMINENTE APARICIÓN

Clemencia, FERNÁN CABALLERO.
  Edición de Julio Rodríguez Luis.
La tribuna, EMILIA PARDO BAZÁN.
  Edición de Benito Varela Jácome.